Taco-Party

kulinarische Re

geschmackvolle Tacos

Entdecken Sie die Kunst der Taco-Zubereitung mit über 100 unwiderstehlichen Rezepten

Ewald Frank

INHALTSVERZEICHNIS

EINFÜHRUNG

Willkommen bei „Taco Fiesta: Eine kulinarische Reise durch geschmackvolle Tacos"! Dieses Kochbuch ist eine Hommage an das beliebte mexikanische Gericht, das die Herzen und Geschmacksknospen von Feinschmeckern auf der ganzen Welt erobert hat. Machen Sie sich bereit für ein verlockendes Abenteuer, während wir die vielfältige Welt der Tacos erkunden, von traditionellen Klassikern bis hin zu innovativen Fusionskreationen.

In diesem Kochbuch haben wir eine Sammlung von über 100 unwiderstehlichen Taco-Rezepten zusammengestellt, die Ihren Gaumen auf eine aufregende Achterbahnfahrt mitnehmen werden. Von brutzelnden Street-Style-Tacos bis hin zu Gourmet-Varianten und vegetarischen Köstlichkeiten – jedes Rezept wird sorgfältig ausgearbeitet, um die lebendigen Geschmacksrichtungen, Texturen und Aromen hervorzuheben, die Tacos wirklich außergewöhnlich machen.

Egal, ob Sie ein erfahrener Koch oder ein Küchenneuling sind, dieses Kochbuch soll Sie inspirieren und durch die Kunst der Taco-Zubereitung führen. Jedes Rezept wird von klaren Anweisungen, hilfreichen Tipps und lebendigen Fotos begleitet, die Ihre Sinne ansprechen und Ihre kulinarische Reise noch angenehmer machen.

Schnappen Sie sich also Ihre Schürze, decken Sie sich mit Tortillas ein und lassen Sie sich von „Taco Fiesta" bei der Zubereitung unvergesslicher Taco-Feste für Familie und Freunde begleiten. Machen Sie sich bereit, Ihr Taco-Spiel auf ein neues Niveau zu heben und Ihren Mahlzeiten ein Fest der Aromen zu verleihen. Tauchen wir ein in die Welt der Tacos und begeben wir uns auf ein kulinarisches Abenteuer wie kein anderes!

1. Übrig gebliebene Hühnchen-Tacos

Macht: 2

ZUTATEN:
- 2 Tassen gekochtes, zerkleinertes Hühnchen
- 1 Tasse Tomatillo-Salsa
- 2 Esslöffel Öl
- 1 Knoblauchzehe, gepresst
- 500 Gramm schwarze Bohnen, gekocht und abgetropft
- $\frac{1}{4}$ Teelöffel Salz
- 4 Tortillas
- 1 Avocado, in Scheiben geschnitten

ANWEISUNGEN:
a) Entfernen Sie die Hähnchenhaut, indem Sie das Fleisch herausziehen.

b) In einer großen Pfanne bei mittlerer bis niedriger Hitze die Salsa und das Hühnchen erwärmen.

c) In der Zwischenzeit in einer mittelgroßen Pfanne Öl erhitzen und Knoblauch und Bohnen darin anbraten.

d) Salz und $\frac{1}{2}$ Tasse Wasser hinzufügen. Die Bohnen mit der Rückseite des Löffels zerdrücken, bis eine cremige Masse entsteht. Vom Herd nehmen.

e) Erwärmen Sie die Tortillas, fügen Sie dann Hühnchen hinzu und belegen Sie sie mit Avocados, Salsa, Koriander, Limettenspalten und Ihrer Bohnenmischung.

2. Hühnchen-Tacos aus dem Slow Cooker

ZUTATEN:

- 2 Pfund Hähnchenbrust oder -schenkel
- 8 Stück Bio- oder normale Tortillas
- 1 Tasse Bio- oder hausgemachte Salsa
- $\frac{1}{2}$ Tasse Wasser
- 2 Teelöffel gemahlener Kreuzkümmel
- 2 Teelöffel Chilipulver
- 1 Teelöffel Knoblauchpulver
- 1 Teelöffel gemahlener Koriander
- $\frac{1}{4}$ Teelöffel Cayennepfeffer (mehr für mehr Schärfe)
- $\frac{1}{2}$ Teelöffel Meersalz
- $\frac{1}{4}$ Teelöffel schwarzer Pfeffer
- Belag: Frisches gehacktes Gemüse nach Wahl, frischer Koriander, Oliven, Avocado, frische Salsa, Limettenspalte usw.

ANWEISUNGEN:

a) Geben Sie die Hähnchenstücke zusammen mit Wasser, gemahlenem Kreuzkümmel, Chilipulver, Knoblauchpulver, gemahlenem Koriander, Cayennepfeffer, Salz und Pfeffer in den Slow Cooker. Mischen, um das Huhn zu bedecken.

b) 4 bis 5 Stunden lang auf höchster Stufe kochen.

c) Das Hähnchen herausnehmen und zerkleinern. Zurück zum Slow Cooker und weitere 30 Minuten kochen lassen.

d) Servieren Sie Hühnchen in Tortilla-Wraps und fügen Sie Salsa und Toppings Ihrer Wahl hinzu.

3. Hühnchen-Taco mit Zitrusfrüchten und Kräutern

Ergibt: 12 Tacos

ZUTATEN:
TACOS
- 6 Hähnchenschenkel, mit Haut
- 3 Hähnchenbrüste, mit Haut
- 2 Limetten, Schale und Saft
- 2 Zitronen, Schale und Saft
- 1 Tasse gemischte frische Kräuter
- $\frac{1}{4}$ Tasse Wermut oder trockener Weißwein
- $\frac{1}{4}$ Tasse Olivenöl
- 1 Teelöffel Kreuzkümmel, geröstet
- 1 Teelöffel Koriander, geröstet
- 1 Teelöffel Knoblauch, gehackt

GARNIER-IDEEN:
- Gepflückter Koriander, Limettenspalten, Radieschen-Streichhölzer
- Julienne-Salat (Spinat, Eisbergsalat, Butter oder Kohl)
- Pico de Gallo
- Geriebener Käse
- Sauerrahm
- Eingelegte Peperoni

ZUR MONTAGE
- 12 Mehl-Tortillas

ANWEISUNGEN:
TACOS
a) Alle Zutaten vermischen und das Hähnchen mindestens 4 Stunden marinieren lassen.
b) Das Hähnchen zuerst mit der Hautseite nach unten auf dem Grill grillen.

c) Wenn es kühl genug ist, grob hacken.

UM DIE TACOS ZU ZUSAMMENBAUEN

a) Nehmen Sie zwei Tortillas, geben Sie jeweils etwa ein Viertel des Hähnchens hinein und belegen Sie es mit den gewünschten Beilagen.

b) Servieren Sie schwarzen Bohnen-Reis-Salat zu Tacos.

4. <u>Cremige Hühnchen-Avocado-Tacos</u>

Ergibt: 1 Portion

ZUTATEN:

- 1 Unze reife Avocado
- 2 Esslöffel fettarmer Naturjoghurt
- 1 Teelöffel Zitronensaft
- Salz und Pfeffer
- Einige Salatblätter zerkleinert
- 1 Schalotte oder 3 Frühlingszwiebeln, geputzt und in Scheiben geschnitten.
- 1 Tomate in Spalten schneiden
- Viertel einer Paprika, fein gehackt
- 2 Taco-Schalen
- 2 Unzen gebratenes Hähnchen, in Scheiben geschnitten

ANWEISUNGEN:

a) In einer kleinen Schüssel die Avocado mit einer Gabel zerdrücken, bis eine glatte Masse entsteht. Joghurt und Zitronensaft hinzufügen und verrühren, bis alles gut vermischt ist. Mit Salz und Pfeffer würzen.

b) Salat, Schalotten oder Frühlingszwiebeln, Tomaten und grüne oder rote Paprika vermischen.

c) Erwärmen Sie die Taco-Schalen 2 bis 3 Minuten lang auf einem mäßigen Grill.

d) Entfernen Sie sie und füllen Sie sie mit der Salatmischung. Mit dem Hühnchen belegen und das Avocado-Dressing darüber geben. Sofort servieren.

5. Hähnchen-Mais-Tacos mit Oliven

Ergibt: 1 Portion

ZUTATEN:

- ⅔ Tasse plus 2 EL. gekochte Hähnchenbrust; geschreddert
- 1 Packung Taco-Gewürzmischung
- 3 Unzen Dosenmais nach mexikanischer Art; entwässert
- 4 Taco-Schalen oder Mehl-Tortillas
- ⅓ Tasse Plus 1 EL. Kopfsalat; geschreddert
- ½ mittelgroße Tomate; gehackt
- 1 Esslöffel plus 2 Teelöffel geschnittene reife Oliven
- 1 Unze geriebener Cheddar-Käse

ANWEISUNGEN:

a) Kombinieren Sie die Hähnchen- und Taco-Gewürzmischung in einer Pfanne bei mittlerer Hitze.

b) Geben Sie die auf der Packung angegebene Wassermenge für die Taco-Füllung hinzu. Zum Kochen bringen. Hitze auf mittlere Stufe reduzieren.

c) Unter gelegentlichem Rühren 5-10 Minuten köcheln lassen, bis das Wasser verdampft ist. Mais einrühren und kochen, bis er vollständig erhitzt ist.

d) In der Zwischenzeit die Taco-Schalen oder Tortillas wie auf der Packung angegeben erhitzen. Füllen Sie jede Schale mit ¼ Tasse Hühnerfüllung.

e) Jeweils mit Salat, Tomaten, Oliven und Käse belegen.

6. Hähnchen-Chili-Verde-Tacos

Ergibt: 4 Portionen

ZUTATEN:
- 3 Tassen geriebener Kohl
- 1 Tasse frischer Koriander – leicht verpackt
- 1 Tasse grüne Chili-Salsa
- 1 Pfund Hähnchenbrust ohne Knochen und ohne Haut
- 1 Teelöffel Salatöl
- 1 Hähnchenbrust ohne Knochen und ohne Haut – der Länge nach in Scheiben geschnitten
- 3 Knoblauchzehen – gehackt
- 1 Teelöffel gemahlener Kreuzkümmel
- $\frac{1}{2}$ Teelöffel getrockneter Oregano
- 8 Mehl-Tortillas
- Fettreduziert oder normal

ANWEISUNGEN:
a) Kombinieren Sie Kohl, Koriander und Salsa in einer Servierschüssel. beiseite legen.

b) Hähnchen quer in $\frac{1}{2}$ Zoll breite Streifen schneiden. In einer beschichteten Bratpfanne (25 bis 30 cm) bei mittlerer bis hoher Hitze Öl, Zwiebel und Knoblauch 2 Minuten lang verrühren. Erhöhen Sie die Hitze auf eine hohe Stufe, fügen Sie Hühnchen hinzu und rühren Sie häufig um, bis das Fleisch in der Mitte nicht mehr rosa ist (4 bis 6 Minuten).

c) Kreuzkümmel und Oregano hinzufügen; 15 Sekunden lang rühren. In eine Servierschüssel geben. 3.

d) Wickeln Sie die Tortillas in ein Stofftuch und kochen Sie sie etwa $1\frac{1}{2}$ Minuten lang bei voller Leistung in der

Mikrowelle, bis sie heiß sind. Am Tisch die Kohl-Hähnchen-Mischung löffelweise in die Tortillas geben.

7. Hühnchen-Cheddar-Mais-Tacos

Ergibt: 1 Portion

ZUTATEN:
- ⅔ Tasse plus 2 EL. gekochte Hähnchenbrust; geschreddert
- 1 Packung Taco-Gewürzmischung
- 3 Unzen verkohlter Mais
- 4 Taco-Schalen oder Mehl-Tortillas
- ⅓ Tasse Plus 1 EL. Kopfsalat; geschreddert
- ½ mittelgroße Tomate; gehackt
- 1 Esslöffel plus 2 Teelöffel geschnittene reife Oliven
- Sauerrahm
- 1 Unze geriebener Cheddar-Käse

ANWEISUNGEN:
a) Kombinieren Sie die Hähnchen- und Taco-Gewürzmischung in einer Pfanne bei mittlerer Hitze.

b) Geben Sie die auf der Packung angegebene Wassermenge für die Taco-Füllung hinzu. Zum Kochen bringen.

c) Hitze auf mittlere Stufe reduzieren. Unter gelegentlichem Rühren 5–10 Minuten köcheln lassen, bis das Wasser verdampft ist.

d) Mais einrühren und kochen, bis er vollständig erhitzt ist.

e) In der Zwischenzeit die Taco-Schalen oder Tortillas wie auf der Packung angegeben erhitzen. Füllen Sie jede Schale mit ¼ Tasse Hühnerfüllung.

f) Jeweils mit Salat, Tomaten, Oliven und Käse belegen.

g) Sauerrahm darüber träufeln.

8. Hühnchen-Tacos mit Reis und Sherry

Ergibt: 6 Portionen

ZUTATEN:
- 2 Pfund Hühnerteile
- $\frac{1}{4}$ Tasse Mehl
- 2 Teelöffel Salz
- $\frac{1}{4}$ Teelöffel Pfeffer
- 1 Tasse Zwiebel, gehackt
- $\frac{1}{4}$ Tasse Butter
- 2 Esslöffel Worcestershire-Sauce
- $\frac{1}{4}$ Teelöffel Knoblauchpulver
- 1 Tasse Chilisauce
- $1\frac{1}{2}$ Tassen Hühnerbrühe
- 3 Tassen heißer Reis, gekocht
- $\frac{1}{2}$ Tasse trockener Sherry

ANWEISUNGEN:
a) Hähnchen in Mehl, Salz und Pfeffer wälzen.

b) In Margarine anbraten.

c) Hähnchen zur Seite schieben.

d) Zwiebeln hinzufügen und anbraten, bis sie transparent sind.

e) Restliche Zutaten außer Reis unterrühren. Zum Kochen bringen, abdecken und die Hitze reduzieren, dann 35 Minuten köcheln lassen.

f) Hähnchen und Soße auf einem Bett aus flauschigem Reis servieren.

9. Taco mit gegrilltem Hähnchen und roter Paprika

Ergibt: 6 Portionen

ZUTATEN:

- 1½ Pfund Hähnchen ohne Knochen und ohne Haut b
- 2 rote Paprika, gerösteter Natursekt
- 2 Selleriestangen, gewaschen und in Scheiben geschnitten
- 1 mittelgroße rote Zwiebel, geschält und gehackt
- ½ Tasse gekochte schwarze Bohnen
- ¼ Tasse gehackte Korianderblätter
- ¼ Tasse Balsamico-Essig
- ¼ Tasse Öl
- ¼ Tasse Orangensaft
- ¼ Tasse Limettensaft
- 2 Knoblauchzehen, geschält und mi
- 1 Teelöffel gemahlener Koriandersamen
- ½ Teelöffel Pfeffer
- ½ Teelöffel Salz
- ¼ Tasse Sauerrahm oder fettfreier Joghurt
- 6 (8 Zoll) Mehl-Tortillas

ANWEISUNGEN:

a) ZÜNDEN SIE EINEN GRILL AN ODER HEIZEN SIE EINEN GRILL VOR. Die Hähnchenbrüste auf eine gleichmäßige Dicke schlagen und auf beiden Seiten ca. 4 Minuten pro Seite grillen, bis sie durchgegart, aber nicht ausgetrocknet sind. Es macht Sinn, die Paprika gleichzeitig zu grillen. In Scheiben schneiden und beiseite stellen.

b) Paprika, Sellerie, Zwiebeln, schwarze Bohnen und Koriander in einer Rührschüssel vermischen. Essig, Öl, Orangensaft, Limettensaft, Knoblauch, Koriander und Pfeffer verrühren. Mit Salz und Sauerrahm oder Joghurt in einem Glas mit dicht schließendem Deckel vermischen. Gut schütteln und das Dressing über das Gemüse gießen.

c) Das Gemüse 1 Stunde bei Zimmertemperatur marinieren. Stellen Sie eine große Pfanne auf mittlere Hitze und grillen Sie die Tortillas 30 Sekunden lang auf einer Seite, damit sie weich werden. Zum Servieren das Hähnchen auf die Tortillas verteilen und in die Mitte der Tortillas legen.

d) Das Gemüse und das Dressing auf dem Hähnchen verteilen und die Tortilla zu einem Zylinder rollen.

e) Sofort servieren; Das Gericht sollte Zimmertemperatur haben.

10. <u>**Beef Tacos**</u>

Ergibt: 8 Portionen

ZUTATEN:
- $\frac{1}{2}$ Pfund mageres Rinderhackfleisch
- 8 Vollkorn-Tortillas
- 1 Packung Taco-Gewürz
- Geriebener Römersalat und 2 große Tomaten
- $\frac{3}{4}$ Tasse Wasser
- 2 Tassen geriebener Cheddar-Käse

ANWEISUNGEN:
a) In eine mittelgroße Pfanne etwas Wasser, Hackfleisch und Taco-Gewürz geben und alles zum Kochen bringen.
b) Die Tacos nach Packungsanweisung von beiden Seiten erhitzen und dann mit Fleisch, Gemüse und Soße belegen.

11. <u>Rindfleisch-Wildpilze, Steak und Poblano-Tacos</u>

Ergibt: 6 Portionen

ZUTATEN:

- 1 Esslöffel Olivenöl
- 12 Maistortillas
- 1 Pfund Rindersteak
- 12 Esslöffel Salsasauce und $\frac{1}{2}$ Teelöffel Koriander
- $\frac{1}{2}$ Teelöffel Salz und schwarzer Pfeffer
- 2 Tassen rohe Zwiebeln und 1 Tasse gehackter Knoblauch
- $\frac{3}{4}$ Tasse mexikanischer Käse
- 1 Poblano-Pfeffer
- 2 Tassen Waldpilze

ANWEISUNGEN:

a) Beginnen Sie mit dem Bräunen des Rindersteaks in einer geölten mittelgroßen Pfanne und würzen Sie es mit Salz und Pfeffer. Nachdem Sie die Steaks auf beiden Seiten 5 Minuten lang gegart haben, nehmen Sie sie heraus und legen Sie sie beiseite.

b) Die restlichen Zutaten in die Pfanne geben und 5 Minuten anbraten.

c) Servieren Sie die warmen Tortillas mit der Pilzmischung, geschnittenem Steakfleisch, Salsasauce und geriebenem mexikanischen Käse.

12. Fettarme Rindfleisch-Bohnen-Tacos

Ergibt: 4 Portionen

ZUTATEN:

- 1 Pfund Hackfleisch
- gekühlte Bohnen
- 8 Taco-Schalen und Taco-Gewürz
- 1 süße Zwiebel
- Salsasauce
- geriebener Cheddar-Käse
- 1 geschnittene Avocado
- Sauerrahm

ANWEISUNGEN:

a) Beginnen Sie mit dem Kochen des Rindfleischs in einer geölten Pfanne und geben Sie die Bohnen und Gewürze hinzu.

b) Legen Sie die Tacos auf einen Teller und fügen Sie die Fleischmischung, Salsasauce, Sauerrahm, geschnittene Avocado und geriebenen Cheddar-Käse hinzu.

13. <u>Rindfleisch-Cheddar- Tacos</u>

Ergibt: 16 Portionen

ZUTATEN:

- 1 ½ Pfund mageres Rinderhackfleisch
- 8 ganze Maistortillas
- 1 Packung Taco-Gewürz
- 1 Glas Salsasauce
- 2 Tassen geriebener Cheddar-Käse

ANWEISUNGEN:

a) In einer geölten Bratpfanne das Hackfleisch langsam anbraten, die Salsasauce dazugeben und gut vermischen, dann das Fleisch abtropfen lassen.

b) Erwärmen Sie jede Tortilla und fügen Sie die Fleischmischung und Gewürze hinzu, fügen Sie etwas Salsasauce und Cheddar-Käse hinzu.

14. <u>Hühnchen-Tacos aus dem Slow Cooker</u>

Ergibt: 8 Portionen

ZUTATEN:
- 1 Pfund Hähnchenbrust
- 1 Packung Taco-Gewürz
- 1 Glas Salsa
- 2-3 Tomaten
- Cheddar-Käse

ANWEISUNGEN:
a) Nehmen Sie einen mittelgroßen Schmortopf und kochen Sie das Hühnerfleisch etwa 8 Stunden lang bei schwacher Hitze.

b) Bevor Sie es auf Tortillas servieren, zerkleinern Sie es und fügen Sie die restlichen Zutaten und Gewürze hinzu.

15. Schnelle und einfache gemahlene Truthahn-Tacos

Ergibt: 8 Portionen

ZUTATEN:
- 1 Pfund gemahlener Truthahn
- Taco-Gewürze
- 1 Tasse geriebener Käse
- $\frac{3}{4}$ Tasse Wasser
- 1 Dose gewürfelte Tomaten mit Basilikum, Oregano und Knoblauch
- 1 Dose schwarze Bohnen
- Low-Carb-Tortillas und Salat

ANWEISUNGEN:
a) In einer mittelgroßen Pfanne das Putenfleisch anbraten, bis es braun wird.

b) Wasser, gewürfelte Tomaten und Bohnen hinzufügen und köcheln lassen, bis eine gleichmäßige Masse entsteht.

c) Die Mischung über jede Tortilla geben und Salat und geriebenen Käse hinzufügen.

16. Koriander-Limetten-Hühnchen-Tacos aus dem Slow Cooker

Ergibt: 6 Portionen

ZUTATEN:

- 1 Pfund Hähnchenbrust
- 1 Glas Salsa
- 3 Esslöffel frischer Koriander
- 1 Packung Taco-Gewürz
- 1 Limette (Saft)
- 6 Vollkorn-Tortillas

ANWEISUNGEN:

a) Geben Sie das Hühnerfleisch, das Taco-Gewürz, den Koriander, den Limettensaft und die Salsa in einen mittelgroßen Slow Cooker. 8-10 Stunden bei schwacher Hitze kochen lassen (Sie können dies auch über Nacht tun).

b) Wenn Sie fertig sind, zerkleinern Sie das Fleisch und legen Sie es über Ihre Tortillas. Fügen Sie die Toppings nach Geschmack hinzu (Oliven, Salat, Zwiebeln und andere Saucen).

17. Chicken Tacos mit hausgemachter Salsa

Ergibt: 2 Portionen

ZUTATEN:
WÜRZIGES FLEISCH :
- 1 Hähnchenbrust (gewürfelt)
- 1 Knoblauchzehe
- $\frac{1}{2}$ Tomate
- $\frac{1}{2}$ Teelöffel Zwiebel und Chilipulver
- $\frac{1}{2}$ Teelöffel Kreuzkümmel und Paprika
- $\frac{1}{2}$ Limette (Saft)

Salsa:
- $\frac{1}{4}$ Tasse gewürfelte Zwiebel
- $\frac{1}{2}$ gewürfelte Tomate
- 1 Prise Salz
- $\frac{1}{4}$ Tasse frischer Koriander
- $\frac{1}{2}$ Limettensaft
- $\frac{1}{2}$ gewürfelte Avocado
- $\frac{1}{4}$ kleiner Jalapeño-Pfeffer

ANDERE:
- 4 Maistortillas
- $\frac{1}{4}$ Tasse Mozzarella-Käse
- $\frac{1}{2}$ Tasse Salat (zerkleinert)

ANWEISUNGEN:
a) Nehmen Sie eine mittelgroße Pfanne, geben Sie das Huhn, die Gewürze, den Knoblauch und den Limettensaft hinzu und kochen Sie alles, bis es fertig ist.

b) Die gewürfelten Tomaten über das gebratene Hähnchen gießen.

c) Beginnen Sie in der Zwischenzeit mit dem Mischen der Zutaten für die Salsasauce. Erhitzen Sie jede

Maistortilla, fügen Sie die Hühnermischung, den Salat, die Salsasauce und den Mozzarella hinzu.

18. Limetten-Hühnchen-Soft-Tacos

Ergibt: 10 Portionen

ZUTATEN:
- 1 $\frac{1}{2}$ Pfund Brustfleisch (gewürfelt)
- 10 Tortillas in Fajita-Größe
- $\frac{1}{4}$ Tasse Rotweinessig
- $\frac{1}{4}$ Tasse Salsasauce
- $\frac{1}{2}$ Limettensaft
- 1 Teelöffel Splenda
- $\frac{1}{4}$ Tasse Monterey-Jack-Käse (gerieben)
- $\frac{1}{2}$ Teelöffel Salz und gemahlener schwarzer Pfeffer
- 1 gewürfelte Tomate
- $\frac{1}{2}$ Tasse Salat (zerkleinert)
- 2 Frühlingszwiebeln und Knoblauchzehen
- 1 Teelöffel getrockneter Oregano

ANWEISUNGEN:
a) In einem mittelgroßen Topf die Hähnchenbrust bei mittlerer Hitze etwa 15 Minuten anbraten.

b) Etwas Limettensaft, Frühlingszwiebeln, Essig, Oregano und andere Gewürze hinzufügen und alles weitere 5 Minuten gut köcheln lassen.

c) Erhitzen Sie jede Fajita-Tortilla in einer großen Pfanne bei mittlerer Hitze auf jeder Seite.

d) Machen Sie jede Tortilla und fügen Sie die Hühnerfleischmischung hinzu.

19. Tex-Mex-Hühnchen-Tacos

Ergibt: 4 Portionen

ZUTATEN:
- 8 Maistortillas
- 1 Pfund Hähnchenbrust (Stücke)
- $\frac{1}{2}$ Tasse Sauerrahm
- $\frac{1}{2}$ Tasse Orangensaft
- 1 Teelöffel Maisstärke
- $\frac{1}{4}$ Tasse frischer Koriander
- 1 Tasse gefrorener Vollkornmais
- 1 Teelöffel Limettenschale
- 1 Jalapenopfeffer
- 1 mittelsüße rote Paprika
- 3 Knoblauchzehen
- 2 Teelöffel Olivenöl
- $\frac{1}{4}$ Teelöffel Salz und schwarzer Pfeffer

ANWEISUNGEN:
a) Geben Sie das Hühnerfleisch und die anderen Marinadenzutaten in eine Plastiktüte und stellen Sie diese für 1-2 Stunden in den Kühlschrank. Wenn es gut mariniert ist, lassen Sie es abtropfen und kochen Sie es in einer mittelgroßen Pfanne, bis es knusprig und zart ist.
b) Fügen Sie die Paprika, etwas Marinade und Maisstärke hinzu und kochen Sie alles weitere 2 Minuten lang.
c) Erhitzen Sie jede Tortilla 40 Sekunden lang in Ihrer Mikrowelle, teilen Sie das Huhn darauf auf und fügen Sie etwas Sauerrahm, Salat, Zwiebeln und Gewürze hinzu.

20. Hühnchen-Tacos auf Hartschalen und gekühlten Bohnen

Ergibt: 5 Portionen

ZUTATEN:

- 1 Tasse geriebener mexikanischer Käse
- 5 Mais-Tacos
- 1 Pfund Hühnerfleisch
- 1 Packung Taco-Gewürze
- 1 Tasse gehackte Zwiebeln und Tomaten
- $\frac{3}{4}$ Tasse Wasser und 1 Dose gekühlte Bohnen
- 3 Unzen Spinatblätter
- $\frac{1}{2}$ Tasse Salsasauce

ANWEISUNGEN:

a) Schneiden Sie das Hühnerfleisch und die Zwiebeln in kleine Stücke und kochen Sie sie dann in einer mittelgroßen Pfanne bei mittlerer Hitze 2-3 Minuten lang.

b) Spinatblätter, Wasser und Gewürze hinzufügen und alles zum Kochen bringen.

c) Erwärmen Sie jede Maistortilla in der Mikrowelle, fügen Sie die Hühnermischung, noch ein paar Spinatblätter, Tomaten, Bohnenmus, Salsasauce, Käse und einige Gewürze hinzu.

21. Apfel-Zwiebel-Hühnchen-Soft-Tacos

Ergibt: 4 Portionen

ZUTATEN:
- 6 Mehl-Tortillas
- 2 Hähnchenbrüste (Würfel)
- 1 Esslöffel Butter
- 1 Knoblauchzehe
- $\frac{1}{2}$ Teelöffel gemahlene Muskatnuss und schwarzer Pfeffer
- 2 Tassen geschnittene Äpfel und 1 Tasse geschnittene Zwiebel
- 4 Esslöffel Mangosalsa
- 1 Esslöffel Olivenöl

ANWEISUNGEN:
a) Bei mittlerer Hitze etwas Butter in einer mittelgroßen Bratpfanne erhitzen.

b) Äpfel und Zwiebeln dazugeben und anbraten, bis sie braun sind. Nehmen Sie die Äpfel und Zwiebeln heraus und kochen Sie die gewürfelten Hähnchenbrustfilets, bis sie gar sind.

c) Übertragen Sie die Zwiebeln und Äpfel, den gehackten Knoblauch und die Gewürze.

d) Belegen Sie jede Tortilla mit der Mischung und etwas Mangosalsa.

22. Fajita-Hühnchen-Tacos

Ergibt: 1 Portion

ZUTATEN:
- 1 Pfund Hühnerfleisch
- 3 Maistortillas
- $\frac{1}{4}$ Dose Cheddar-Käse
- 1 Teelöffel Fajita-Gewürz
- $\frac{1}{4}$ Dose Tomaten
- $\frac{1}{4}$ Salat
- 1 Esslöffel Salsa-mild

ANWEISUNGEN:
a) Kochen Sie die Brocken-, Hühnchen- und Fajita-Gewürze.

b) Erhitzen Sie jede Maistortilla in einer mittelgroßen Pfanne, bis sie knusprig ist.

c) Geben Sie 1 Teelöffel Salsasauce über jede Tortilla, fügen Sie das Huhn und das andere Gemüse hinzu.

23. Fiesta Chicken Tacos

Ergibt: 10 Portionen

ZUTATEN:

- 1 $\frac{1}{2}$ Pfund Hähnchenbrust
- $\frac{1}{2}$ Esslöffel Zwiebel- und Knoblauchpulver
- 1 Dose Nacho-Käsesuppe
- 1 Packung Taco-Gewürz
- 6 Esslöffel grüne Chilisauce
- 4 Esslöffel Salsa

ANWEISUNGEN:

a) Nehmen Sie einen Schmortopf und fügen Sie die Hähnchenbrust hinzu. Mischen Sie in einer mittelgroßen Schüssel die anderen Zutaten und gießen Sie sie dann über das Huhn.

b) Stellen Sie die Garzeit bei schwacher Hitze auf 6-8 Stunden ein. Das Hähnchen mit einem kleinen Messer zerkleinern.

24. Gegrillte Hähnchen-Tacos

ZUTATEN:

- ½ kg Hähnchenschenkel, gehäutet und entbeint
- 1 mittelgroße Zwiebel, geschält und in große Spalten geschnitten
- 2 Knoblauchzehen, fein gehackt
- 1 Esslöffel Kreuzkümmelsamen, gehackt
- 1 Esslöffel Pflanzenöl
- 1 Teelöffel Salz
- ½ Teelöffel schwarzer Pfeffer
- 8 Tortillas

ANWEISUNGEN:

a) Stellen Sie den Grill auf mittlere bis hohe Hitze ein. In einer mittelgroßen Schüssel Hühnchen, Zwiebeln, Knoblauch, Kreuzkümmel, Salz, Pfeffer und Öl vermengen.

b) Grillen Sie die Zwiebel und das Hähnchen auf jeder Seite vier Minuten lang oder bis sie leicht verkohlt und durchgegart sind.

c) Lassen Sie das Hähnchen einige Minuten abkühlen, bevor Sie es schneiden und mit geschnittenen Avocados, verkohlter Tomatillo Salsa Verde, Korianderzweigen, Limettenschnitzen und geschnittenen Radieschen servieren.

25. <u>Weiche Hühnchen-Mais-Tacos</u>

Macht: 5

ZUTATEN:
- ½ kg Hähnchen ohne Knochen, in dünne Streifen geschnitten
- 1 Tasse Salsa
- 25 Gramm Taco-Gewürz
- 2 Tassen weißer Reis
- 10 Mehl-Tortillas
- ¾ Tasse geriebener Käse
- Maiskörner
- Geriebener Koriander zum Garnieren

ANWEISUNGEN:
a) Bei mittlerer bis hoher Hitze etwas Öl in einer großen Pfanne erhitzen.

b) Fügen Sie das Huhn hinzu und braten Sie es etwa 7 Minuten lang oder bis das Huhn fertig ist.

c) 2 Tassen Wasser, Salsa und Gewürzmischung hinzufügen und die Mischung zum Kochen bringen.

d) Den Reis hinzufügen, abdecken und 5 Minuten kochen lassen.

e) Geben Sie die Mischung auf die vorgewärmten Tortillas und bestreuen Sie sie großzügig mit dem Cheddar-Käse.

f) Fügen Sie nach Belieben einige Maiskörner hinzu.

g) Mit Koriander garnieren.

26. Brathähnchen-Cheddar-Taco

Macht: 6

ZUTATEN:
- 3 Tassen Brathähnchen, fein gehackt oder zerkleinert
- ½ Tasse Salsa
- 2 Esslöffel Honig
- 1 Esslöffel Limette
- 2 Esslöffel Taco-Gewürz
- Salz
- Pfeffer
- 6 Maistortillas
- Olivenöl
- Cheddar-Käse, gerieben

ANWEISUNGEN:
a) Alle Zutaten außer Hühnchen und Käse verquirlen.

b) Legen Sie das zerkleinerte Hähnchen in einen mikrowellengeeigneten Behälter und rühren Sie den Rest der Mischung unter.

c) Stellen Sie diesen Behälter für 2 Minuten in die Mikrowelle und nehmen Sie ihn heraus

d) herausnehmen, umrühren und den Vorgang wiederholen, bis das Hähnchen richtig erhitzt ist.

e) Geben Sie etwas Öl in eine Pfanne und erhitzen Sie die Tortillas, bis sie auf beiden Seiten goldbraun sind.

f) Die Hühnermischung gleichmäßig auf alle Tortillas verteilen. Mit geriebenem Käse bestreuen und mit Salat und geviertelten Kirschen servieren

g) Tomaten, Koriander und Sauerrahm.

27. <u>Buffalo Chicken Tacos</u>

Macht: 3

ZUTATEN:

- 1 Tasse Sellerie (gewürfelt)
- 2 Tassen Brathähnchen, fein zerkleinert
- $\frac{1}{2}$ Tasse glühende Buffalo-Wing-Sauce
- 1 Esslöffel Öl
- 6 Maistortillas
- 1 $\frac{1}{2}$ Tassen mexikanischer Käse (Mischung)
- Salz

ANWEISUNGEN:

a) Legen Sie das zerkleinerte Hähnchen in eine Schüssel und gießen Sie die Buffalo-Sauce darüber. Gut vermischen und dann zum Erhitzen in die Mikrowelle stellen.

b) Geben Sie einen Esslöffel Öl in eine Pfanne und verwenden Sie die Tortillas.

c) Verteilen Sie das Öl gleichmäßig darüber. Streuen Sie etwas Meersalz über eine Seite

d) der Tortillas, während Sie sie im Ofen goldbraun färben

e) Verfahren.

f) Drehen Sie jede Tortilla innerhalb von 30 Sekunden um und bestreuen Sie die andere Seite mit etwas Käse. Sie können auch normalen Cheddar-Käse verwenden. Sobald der Käse schmilzt, mit Hühnchen und Sellerie bestreuen.

g) Mit Blauschimmelkäse darüberstreuen oder etwas scharfer Soße servieren.

28. BBQ-Rindfleisch-Tacos

Ergibt: 8 Portionen

ZUTATEN:
- 1 Pfund mageres Rinderhackfleisch (oder Truthahn)
- $\frac{1}{2}$ Tasse mexikanischer geriebener Käse
- 1 geschnittene Zwiebel und rote Paprika
- 8 Vollkorn-Tortillas
- $\frac{1}{2}$ Tasse Barbecuesauce
- 1 gewürfelte Tomate

ANWEISUNGEN:
a) Beginnen Sie mit dem Kochen des Rindfleischs, der Zwiebeln und der Paprika in einer Pfanne mit mittlerem Öl, bis sie durchgegart sind, und rühren Sie dabei gelegentlich um.

b) Die Soße dazugeben und alles 2 Minuten kochen lassen.

c) Gießen Sie die Fleischmischung über jede Tortilla und belegen Sie sie vor dem Servieren mit Käse und Tomaten.

29. Tacos De Barbacoa

Ergibt: 20 Portionen

ZUTATEN:
- 4 Pfund Rindfleisch
- $\frac{1}{4}$ Tasse Apfelessig
- 20 Maistortillas
- 3 Esslöffel Limettensaft
- $\frac{3}{4}$ Tasse Hühnerbrühe
- 3-5 Chipotle-Chilis aus der Dose
- 2 Esslöffel Pflanzenöl und 3 Lorbeerblätter
- 4 Knoblauchzehen und Kreuzkümmel
- 3 Teelöffel mexikanischer Oregano
- 1 $\frac{1}{2}$ Teelöffel Salz und gemahlener schwarzer Pfeffer
- $\frac{1}{2}$ Teelöffel gemahlene Nelken
- Zwiebel, Koriander und Limettenspalten (gehackt)

ANWEISUNGEN:
a) In einer mittelgroßen Schüssel Limettensaft, Knoblauchzehen, Apfelessig und andere Gewürze vermischen, bis eine glatte Paste entsteht.

b) Nehmen Sie das Fleisch und braten Sie es in einer geölten Pfanne 5 Minuten lang auf beiden Seiten an. Geben Sie die Mischung aus der Schüssel über das Fleisch und rühren Sie gut um.

c) Nach weiteren 10 Minuten, während die Zutaten köchelten, die Mischung in den vorgeheizten Ofen geben. Etwa 4-5 Stunden kochen lassen.

d) Servieren Sie die Maistortillas mit der Ofenmischung, Zwiebeln, Koriander, Limettenschnitzen und anderen Gewürzen.

30. Knusprige Wild- Tacos

Ergibt: 7 Portionen

ZUTATEN:

- 1 Pfund gemahlenes Wildbret
- 21 Taco-Schalen
- 2 Esslöffel Taco-Sauce
- 1 Dose Taco Bell gebratene Bohnen
- 1-2 Tassen geriebener Salat
- 1 Teelöffel Chili-Gewürzmischung
- 1½ Tassen geriebener Käse

ANWEISUNGEN:

a) Heizen Sie Ihren Ofen auf 325 Grad Celsius vor und braten Sie das Hackfleisch dann in einer mittelgroßen Bratpfanne an, bis es fein gebräunt ist.

b) 2 Esslöffel Soße, Gewürze und die gebratenen Bohnen hinzufügen und kochen, bis alles gut durchgewärmt ist.

c) In der Zwischenzeit jede Tortilla einige Minuten im Ofen erwärmen und dann mit Salat, Soße, Fleischmischung und etwas geriebenem Käse anrichten.

31. Carne Asada Steak Tacos

Ergibt: 12 Portionen

ZUTATEN:
- 2 Pfund Flanksteaks
- 1 Esslöffel Fleischgewürz
- 1 entsaftete Limette und 1 Teelöffel Kreuzkümmel
- ½ Teelöffel Salz und gemahlener Pfeffer
- 2 Esslöffel gehackter Knoblauch und 1 Prise Cayennepfeffer
- ½ Teelöffel Chilipulver
- 2 Esslöffel frischer Koriander

ANWEISUNGEN:
a) Schneiden Sie bei Bedarf das Fett vom Fleisch ab, geben Sie es dann zusammen mit der Limette, 2 Esslöffeln Wasser und den Gewürzen in einen großen Beutel und stellen Sie ihn in den Kühlschrank, damit alles gut bedeckt ist.

b) Nehmen Sie das Fleisch heraus und grillen Sie es von jeder Seite 5 Minuten lang. Beginnen Sie mit der Zubereitung der Tortillas, indem Sie das Gemüse, das gegrillte Fleisch und einige Gewürze hinzufügen.

32. Kichererbsen-Crêpe-Tacos mit Kalbfleisch und Auberginen

Macht: 4

ZUTATEN:

- 2 $\frac{1}{4}$ Tassen Kichererbsenmehl
- $\frac{1}{4}$ Tasse Naturjoghurt
- 2 $\frac{1}{2}$ Teelöffel Salz (aufgeteilt)
- 3 $\frac{1}{2}$ Esslöffel Olivenöl
- $\frac{1}{4}$ kg Kalbfleisch (gemahlen)
- 1 $\frac{1}{2}$ Teelöffel Kreuzkümmel (gemahlen)
- $\frac{1}{4}$ Teelöffel rote Paprikaflocken (zerkleinert)
- 1 Pfund Auberginen und schneiden Sie sie in 1 Zoll große Würfel
- 3 Knoblauchzehen (dünn geschnitten)
- $\frac{1}{4}$ Tasse Rosinen (golden)
- $\frac{1}{4}$ Tasse Rotwein
- 15 Unzen Tomaten (gewürfelt)
- $\frac{1}{4}$ Tasse Pinienkerne (geröstet)

ANWEISUNGEN:

a) In einer mittelgroßen Schüssel das Kichererbsenmehl mit Joghurt, 1 $\frac{1}{4}$ Teelöffel Salz und Wasser (2 Tassen und 1 Esslöffel) verquirlen und beiseite stellen.

b) Auf mittlerer Flamme in einer großen Pfanne 1 Esslöffel Öl erhitzen. Geben Sie das Kalbfleisch, die rote Paprika, den Kreuzkümmel und $\frac{1}{4}$ Teelöffel Salz in die Pfanne, um das Kalbfleisch zu garen.

c) Achten Sie darauf, das Kalbfleisch häufig aufzubrechen und umzurühren, damit es nicht zusammenklumpt. Wenn das Kalbfleisch zu bräunen beginnt (nach etwa 4 Minuten), nehmen Sie das Fleisch und die Gewürze aus der Pfanne und geben Sie es in eine mittelgroße Schüssel.

d) Erhitzen Sie 2 Esslöffel Öl in der Pfanne, bevor Sie die Auberginen und das restliche Salz hinzufügen. Kochen Sie die Aubergine 5 Minuten lang oder bis sie von allen Seiten braun wird.

e) Fügen Sie nun den Knoblauch hinzu und rühren Sie gelegentlich um, bis er eine hellbraune Farbe annimmt.

f) Rosinen und Wein hinzufügen, um die Mischung zu kochen. Denken Sie daran, eine Minute lang ununterbrochen zu rühren, damit die Mischung gleichmäßig erhitzt wird.

g) Fügen Sie die gewürfelten Tomaten (mit Saft), die Lammmischung, Pinienkerne und $\frac{1}{4}$ hinzu

h) Tasse Wasser. Umrühren und die Hitze auf mittlere Flamme reduzieren, damit die Mischung entsteht

i) kann köcheln. Gelegentlich umrühren. Nach etwa 15 Minuten, wenn der größte Teil des Safts verdunstet ist, schließen Sie die Flamme.

j) Schwenken Sie das restliche Öl in einer beschichteten 8-Zoll-Pfanne, wischen Sie es mit einem Papiertuch ab, sodass nur noch ein Ölschimmer auf der Pfanne verbleibt, und erhitzen Sie es auf mittlerer Stufe.

k) Die Mehlmischung verquirlen und etwa ein Drittel einer Tasse in die Pfanne gießen.

l) Schwenken Sie, bis die Pfanne vollständig mit dem Teig bedeckt ist, sodass ein Crêpe entsteht, und backen Sie ihn von beiden Seiten, bis er gebräunt ist. Nehmen Sie den Crêpe aus der Pfanne und wiederholen Sie den Vorgang mit dem restlichen Teig.

m) Die Lammfleischfüllung auf die Pfannkuchen geben.

n) Mit grünem Gemüse, Joghurt und Zitronenspalten servieren.

33. Steak-Tacos und Salsa

Macht: 4

ZUTATEN:
- 2 Esslöffel Olivenöl, geteilt
- ½ kg Flanksteak
- Salz
- Schwarzer Pfeffer
- ½ Tasse Korianderblätter
- 4 Radieschen, geputzt und fein gehackt
- 2 Frühlingszwiebeln, in dünne Scheiben geschnitten
- ½ Jalapeño, entkernt und fein gehackt
- 2 Esslöffel Limettensaft
- 8 Maistortillas

ANWEISUNGEN:
a) Das Steak mit Salz und Pfeffer würzen und in einer Pfanne bei starker Hitze von jeder Seite anbraten.

b) Gießen Sie das Olivenöl in die Pfanne und braten Sie es auf jeder Seite etwa 5–8 Minuten lang an. Lassen Sie es noch fünf Minuten ruhen.

c) Die Hälfte des Korianders hacken und mit Radieschen, Jalapenos, Zwiebeln, Limettensaft und 1 Esslöffel Olivenöl vermengen. Mit Salz, Pfeffer und Salsa würzen.

d) Das Steak in Scheiben schneiden und zusammen mit einer Portion der Gemüsemischung auf jede Tortilla legen.

e) Mit Queso-Fresko-Käse und dem Rest des Korianders servieren.

34. Hackfleisch-Tacos

Macht: 4

ZUTATEN:
- 8 Maistortillas
- 750 Gramm Hackfleisch
- 4 Esslöffel Taco-Gewürz
- 1 Tasse Eisbergsalat, zerkleinert
- 1 Tasse Traubentomaten, halbiert
- $\frac{1}{2}$ rote Zwiebel, fein geschnitten
- 1 Avocado, in Scheiben geschnitten

ANWEISUNGEN:
a) In einer Pfanne Hackfleisch und Taco-Gewürz zusammen anbraten, z
b) Etwa 7 Minuten auf mittlerer Flamme braten, damit das Fleisch gar ist
c) durch. Ablassen, um überschüssiges Fett zu entfernen.
d) Tortillas erwärmen und aus gleichen Teilen der Rindfleischmischung zusammenstellen und mit Salat, Tomaten, Zwiebeln und Avocados belegen. Mit Limettenspalten servieren.

35. Pan Tacos mit Hackfleisch und weißem Reis

Macht: 4

ZUTATEN:

- $\frac{1}{2}$ kg Rindfleisch
- 1 Teelöffel Kreuzkümmel
- 1 Esslöffel Chilipulver
- 2 Tassen weißer Reis
- 1 Tasse Käse, gerieben
- 2 Tassen Wasser
- 8 Weizentortillas
- Salz

ANWEISUNGEN:

a) Das Fleisch in einer großen Pfanne etwa 10 Minuten anbraten. Abtropfen lassen

b) eventuelles Fett entfernen.

c) Fügen Sie die Gewürze hinzu und rühren Sie 30 Sekunden lang um, bevor Sie Wasser hinzufügen. Stellen Sie sicher, dass es auf hoher Hitze steht, damit es schnell kocht. Reis und Käse unterrühren. Abdecken und bei mittlerer Hitze 5 Minuten köcheln lassen.

d) Bei Bedarf abtropfen lassen, um überschüssiges Öl und Wasser zu entfernen.

e) Zum Zusammenstellen gleiche Portionen auf jede Tortilla geben, geriebenen Salat und gehackte Tomaten hinzufügen und servieren.

36. Tacos mit übrig gebliebenen Hamburgern

Macht: 4

ZUTATEN:
- 250 Gramm Hamburger
- 1 Tasse Wasser
- 1 Päckchen Taco-Gewürz
- 8 Maistortillas

ANWEISUNGEN:
a) Den Hamburger (oder Ersatz) in eine Pfanne geben und bei mittlerer Hitze erhitzen, bis er gebräunt und durchgewärmt ist.

b) Taco-Gewürz und Wasser hinzufügen und 5 Minuten kochen lassen, bis es servierfertig ist.

c) Wenn das Fleisch durchgegart ist, stellen Sie Tacos aus Fleisch und gewürfeltem Gemüse wie Tomaten, Zwiebeln und Salat zusammen. Mit Limettenschnitzen und geriebenem Käse als Belag servieren.

37. <u>Rindfleisch-Tacos nach Büffelart</u>

Ergibt: 4 Portionen

ZUTATEN:
- 1 Pfund Rinderhackfleisch (95 % mager)
- $\frac{1}{4}$ Tasse Cayennepfeffersauce für Buffalo Wings
- 8 Taco-Schalen
- 1 Tasse dünn geschnittener Salat
- $\frac{1}{4}$ Tasse fettreduziertes oder normal zubereitetes Blauschimmelkäse-Dressing
- $\frac{1}{2}$ Tasse geraspelte Karotte
- ⅓ Tasse gehackter Sellerie
- 2 Esslöffel gehackter frischer Koriander
- Karotten- und Selleriestangen oder Korianderzweige

ANWEISUNGEN:
a) Eine große beschichtete Pfanne bei mittlerer Hitze erhitzen, bis sie heiß ist.

b) Hackfleisch hinzufügen; 8 bis 10 Minuten kochen, dabei in kleine Streusel brechen und gelegentlich umrühren. Mit einem Schaumlöffel aus der Pfanne nehmen; Tropfen abgießen.

c) Zurück zur Pfanne; Pfeffersauce unterrühren. Kochen und rühren Sie 1 Minute lang oder bis es durchgeheizt ist.

d) In der Zwischenzeit Taco-Schalen nach Packungsanleitung erhitzen.

e) Die Rindfleischmischung gleichmäßig in die Taco-Schalen verteilen. Salat hinzufügen; Mit Dressing beträufeln.

f) Gleichmäßig mit Karotte, Sellerie und Koriander belegen. Nach Belieben mit Karotten- und Selleriestangen oder Korianderzweigen garnieren.

38. <u>Rindfleisch-Taco-Wraps</u>

Ergibt: 4 Portionen

ZUTATEN:

- $\frac{3}{4}$ Pfund dünn geschnittenes Feinkost-Roastbeef
- $\frac{1}{2}$ Tasse fettfreier Dip aus schwarzen Bohnen
- 4 große Mehl-Tortillas (ca. 25 cm Durchmesser).
- 1 Tasse dünn geschnittener Salat
- $\frac{3}{4}$ Tasse gehackte Tomaten
- 1 Tasse (4 Unzen) geriebener, fettarmer Taco-gewürzter Käse
- Salsa

ANWEISUNGEN:

a) Den schwarzen Bohnendip gleichmäßig auf einer Seite jeder Tortilla verteilen. Feinkost-Roastbeef über den Bohnendip schichten und an den Rändern einen Rand von $\frac{1}{2}$ Zoll frei lassen.

b) Streuen Sie gleiche Mengen Salat, Tomate und Käse über jede Tortilla.

c) Falten Sie die rechte und linke Seite zur Mitte und überlappen Sie die Kanten. Den unteren Rand der Tortilla über die Füllung falten und zurollen.

d) Jede Rolle halbieren. Nach Belieben mit Salsa servieren.

39. Gegrillte Rindfleisch-Tacos im Carnitas-Stil

Ergibt: 6 Portionen

ZUTATEN:
- 4 Flat Iron Steaks vom Rind (je etwa 230 g)
- 18 kleine Maistortillas (6 bis 7 Zoll Durchmesser)

Belag:
- Gehackte weiße Zwiebeln, gehackter frischer Koriander, Limettenschnitze

MARINADE:
- 1 Tasse zubereitete Tomatillo-Salsa
- ⅓ Tasse gehackter frischer Koriander
- 2 Esslöffel frischer Limettensaft
- 2 Teelöffel gehackter Knoblauch
- ½ Teelöffel Salz
- ¼ Teelöffel Pfeffer
- 1-½ Tassen zubereitete Tomatillo-Salsa
- 1 große Avocado, gewürfelt
- ⅔ Tasse gehackter frischer Koriander
- ½ Tasse gehackte weiße Zwiebel
- 1 Esslöffel frischer Limettensaft
- 1 Teelöffel gehackter Knoblauch
- ½ Teelöffel Salz

ANWEISUNGEN:
a) Die Zutaten für die Marinade in einer kleinen Schüssel vermengen. Legen Sie Rindersteaks und Marinade in eine lebensmittelechte Plastiktüte; Drehen Sie die Steaks zum Überziehen. Den Beutel gut verschließen und im Kühlschrank 15 Minuten bis 2 Stunden marinieren.

b) Steaks aus der Marinade nehmen; Marinade wegwerfen. Legen Sie die Steaks auf den Rost und legen Sie sie auf mittlere, mit Asche bedeckte Kohlen. Zugedeckt 10 bis 14 Minuten grillen, bis der Gargrad mittelgroß (145 °F) bis mittel (160 °F) ist, dabei gelegentlich wenden.

c) In der Zwischenzeit die Zutaten für die Avocado-Salsa in einer mittelgroßen Schüssel vermischen. Beiseite legen.

d) Tortillas auf den Rost legen. Grillen, bis es warm und leicht verkohlt ist. Entfernen; warm halten.

e) Steaks in Scheiben schneiden. In Tortillas mit Avocadosalsa servieren. Nach Belieben mit Zwiebeln, Koriander und Limettenspalten belegen.

40. **Winzige Taco-Rindfleisch-Törtchen**

Ergibt: 30 kleine Törtchen

ZUTATEN:

- 12 Unzen Hackfleisch (95 % mager)
- $\frac{1}{2}$ Tasse gehackte Zwiebel
- 1 Knoblauchzehe, fein gehackt
- $\frac{1}{2}$ Tasse zubereitete milde oder mittlere Taco-Sauce
- $\frac{1}{2}$ Teelöffel gemahlener Kreuzkümmel
- $\frac{1}{4}$ Teelöffel Salz
- $\frac{1}{8}$ Teelöffel Pfeffer
- 30 Phyllo-Muscheln
- $\frac{1}{2}$ Tasse geriebene mexikanische Käsemischung mit reduziertem Fettgehalt
- Belag: Geriebener Salat, geschnittene Trauben- oder Kirschtomaten, Guacamole, fettarme saure Sahne, geschnittene reife Oliven

ANWEISUNGEN:

a) Den Ofen auf 350 °F vorheizen. Eine große beschichtete Pfanne bei mittlerer Hitze erhitzen, bis sie heiß ist.

b) Hackfleisch, Zwiebeln und Knoblauch in einer großen beschichteten Pfanne bei mittlerer Hitze 8 bis 10 Minuten lang zugeben, dabei das Rindfleisch in kleine Streusel zerkleinern und gelegentlich umrühren. Eventuell anfallende Reste abgießen.

c) Taco-Sauce, Kreuzkümmel, Salz und Pfeffer hinzufügen; kochen und 1 bis 2 Minuten rühren, bis die Mischung durchgeheizt ist.

d) Legen Sie die Phyllo-Schalen auf ein Backblech mit Rand. Die Rindfleischmischung gleichmäßig in die Schalen verteilen. Gleichmäßig mit Käse belegen. 9 bis 10 Minuten backen oder bis die Schalen knusprig sind und der Käse geschmolzen ist.

e) Die Törtchen nach Belieben mit Salat, Tomaten, Guacamole, Sauerrahm und Oliven belegen.

41. <u>One Pot Cheesy Taco-Pfanne</u>

Ergibt: 30 kleine Törtchen

ZUTATEN:

- 1 Pfund mageres Rinderhackfleisch
- 1 große gelbe Zwiebel, gewürfelt
- 2 mittelgroße Zucchini, gewürfelt
- 1 gelbe Paprika, gewürfelt
- 1 Packung Taco-Gewürz
- 1 Dose gewürfelte Tomaten mit grünen Chilis
- 1 $\frac{1}{2}$ Tassen geriebener Cheddar- oder Monterey-Jack-Käse
- Frühlingszwiebeln zum Garnieren
- Salat, Reis, Mehl oder Maistortillas zum Servieren

ANWEISUNGEN:

a) Eine große beschichtete Pfanne bei mittlerer Hitze erhitzen, bis sie heiß ist. Hackfleisch, Zwiebeln, Zucchini und gelbe Paprika hinzufügen; 8 bis 10 Minuten kochen, dabei in kleine Streusel brechen und gelegentlich umrühren. Bei Bedarf abtropfen lassen.

b) Taco-Gewürz, $\frac{3}{4}$ Tasse Wasser und gewürfelte Tomaten hinzufügen. Die Hitze auf niedrig stellen und 7 bis 10 Minuten köcheln lassen.

c) Mit geriebenem Käse und Frühlingszwiebeln belegen. Nicht umrühren.

d) Wenn der Käse geschmolzen ist, über einem Salatbett, Reis oder in Mehl- oder Maistortillas servieren!

42. Rock Steak Street Tacos

Ergibt: 6 Tacos

ZUTATEN:

- 1 Rocksteak, in dünne Streifen in 10 bis 15 cm große Portionen geschnitten
- 12 15 cm große Maistortillas
- $\frac{1}{2}$ Teelöffel Salz
- $\frac{1}{4}$ Teelöffel Cayennepfeffer
- $\frac{1}{2}$ Teelöffel Knoblauchpulver
- $\frac{1}{2}$ Teelöffel gehackter Knoblauch
- 1 Teelöffel Öl
- 1 Tasse gewürfelte Zwiebel
- $\frac{1}{2}$ Tasse Korianderblätter, grob gehackt
- 2 Tassen dünn geschnittener Rotkohl
- Koriander-Limetten-Vinaigrette:
- $\frac{3}{4}$ Tasse Korianderblätter
- Saft von 2 Limetten
- $\frac{1}{3}$ Tasse Olivenöl
- 4 Teelöffel gehackter Knoblauch
- $\frac{1}{4}$ Tasse weißer Essig
- 4 Teelöffel Zucker
- $\frac{1}{4}$ Tasse Milch
- $\frac{1}{2}$ Tasse Sauerrahm

ANWEISUNGEN:

a) Öl bei mittlerer Hitze erhitzen. In Scheiben geschnittenes Steak mit Salz, Cayennepfeffer und Knoblauchpulver würzen. Das Steak in die Pfanne geben und anbraten, bis es gar ist (8 bis 10 Minuten). Knoblauch hinzufügen und 1 bis 2 Minuten länger anbraten, bis der Knoblauch duftet. Vom Herd nehmen und Steak würfeln.

b) Alle Zutaten für die Vinaigrette verrühren. Die Mischung in einen Mixer geben und etwa 1 bis 2 Minuten lang pürieren, bis eine glatte Masse entsteht.

c) Vorgewärmte Maistortillas (zwei pro Taco verwenden) mit Steak, Zwiebeln, gehacktem Koriander und Kohl füllen. Mit Vinaigrette beträufeln und servieren.

43. <u>Puerto-ricanischer Taco</u>

ZUTATEN:

- Mais-Taco-Schalen
- Käse
- Gekochtes Hackfleisch
- A Süße gelbe Kochbananen (gekocht und in Stücke geschnitten)

ANWEISUNGEN:

a) Geben Sie zwei große Löffel Hackfleisch in Ihre Tortilla.

b) Fügen Sie Ihrer Tortilla zwei Bananenstücke hinzu.

c) Etwas Käse darüber geben und fertig zum Verzehr!

d) Genießen!

44. Fleischiger Taco-Auflauf

ZUTATEN:

- 1 Pfund Rinderhackfleisch
- 1 Zwiebel, gehackt
- 1 (10 Unzen) Dose Enchiladasauce oder Salsa
- 1 (8 Unzen) Dose Tomatensauce
- 1 (15 Unzen) Dose schwarze Bohnen, abgespült und abgetropft
- 1 Tasse gefrorener Mais
- 1 (8-10 Stück) Dose fettreduzierte Kühlschrankkekse
- 1 Tasse geriebener fettarmer mexikanischer Mischkäse
- ⅓ Tasse gehackte Frühlingszwiebeln

ANWEISUNGEN:

a) Ofen auf 350°F vorheizen.

b) Beschichten Sie eine 13 x 9 x 2 Zoll große Auflaufform mit Antihaft-Kochspray.

c) In einer großen beschichteten Pfanne das Fleisch und die Zwiebeln anbraten, bis das Fleisch gar ist. Überschüssiges Fett abtropfen lassen.

d) Enchiladasauce oder Salsa, Tomatensauce sowie schwarze Bohnen und Mais unter gutem Rühren vermischen. Kekse in Viertel zerreißen.

e) Rühren Sie die Gemüsemischung unter die Fleischmischung und geben Sie sie dann in die Auflaufform. Zuletzt die Keksstücke untermischen.

f) 25 Minuten backen. Aus dem Ofen nehmen und mit Käse und Frühlingszwiebeln bestreuen. Stellen Sie die Auflaufform wieder in den Ofen und backen Sie weitere 5-7 Minuten oder bis der Käse geschmolzen ist.

45. Rindfleisch-Koriander-Taco

ZUTATEN:

- 1 Packung weiche Mais- oder Weizentortillas
- 2 Esslöffel Chilipulver
- 1 Esslöffel gemahlener Kreuzkümmel
- ½ Teelöffel Cayennepfeffer
- 2 Teelöffel koscheres Salz
- 2 Esslöffel Pflanzenöl
- 1 große weiße Zwiebel, gehackt
- 16 Unzen Rinderhackfleisch
- 2 Knoblauchzehen, gehackt
- ⅔ Tasse Rinderbrühe
- Geriebener Käse aus einer mexikanischen Mischung, nach Geschmack
- Ganz natürliche saure Sahne, nach Geschmack
- 1 große Tomate, entkernt, gehackt
- ¼ Tasse frische Korianderblätter, gehackt

ANWEISUNGEN:

a) Chilipulver, Kreuzkümmel, Cayennepfeffer und Salz in einem kleinen Glas vermischen und schütteln. Beiseite legen. Öl in einer großen gusseisernen Pfanne bei mittlerer bis hoher Hitze erhitzen.

b) Wenn das Öl schimmert, braten Sie die Hälfte der gehackten Zwiebel etwa 3 bis 4 Minuten lang an, bis sie durchscheinend ist und anfängt zu bräunen.

c) Hackfleisch und Knoblauch dazugeben und etwa 3 bis 4 Minuten braten, bis es braun ist. Fügen Sie ein Glas mit gemischten Gewürzen und Rinderbrühe hinzu. Zum Kombinieren umrühren.

d) Zum Kochen bringen und ca. 2 bis 3 Minuten kochen, bis es dickflüssig ist.

e) Sobald die Soße eindickt, reduzieren Sie die Hitze.

f) Kombinieren Sie die beiseite gelegte gehackte Zwiebel, die gehackte Tomate und den gehackten Koriander. In eine kleine Schüssel geben.

g) Stellen Sie Tacos zusammen, indem Sie eine kleine Menge Käse in die Mitte einer Tortilla geben und dann etwas heiße Fleisch-Soßen-Mischung hinzufügen, um den Käse zu schmelzen.

h) Mit der Zwiebel-Tomaten-Koriander-Mischung und einem Klecks Sauerrahm belegen. Aufrollen und genießen!

46. <u>Tomatensuppe-Rindfleisch-Tacos</u>

Ergibt: 24 Portionen

ZUTATEN:

- 2 Pfund Hackfleisch
- $\frac{1}{2}$ Tasse gehackter grüner Pfeffer
- 1 Dose Rinderbrühe
- 1 Dose Tomatensuppe
- 2 Esslöffel gehackte Kirschpaprika
- 24 Taco-Schalen
- 1 geriebener Cheddar-Käse
- 1 zerkleinerter Monterey Jack
- 1 gehackte Zwiebel
- 1 geriebener Salat
- 1 gewürfelte Tomaten

ANWEISUNGEN:

a) In der Bratpfanne das Rindfleisch anbraten und den grünen Pfeffer darin kochen, bis er weich ist. umrühren, um das Fleisch zu trennen.

b) Suppen und Kirschpaprika hinzufügen. Bei schwacher Hitze 5 Minuten kochen lassen; gelegentlich umrühren.

c) Füllen Sie jede Taco-Schale mit 3-4 Esslöffeln Fleischmischung; Jeweils mit den restlichen Zutaten belegen.

47. <u>Gegrilltes Lammfleisch mit weichen Tacos</u>

Ergibt: 1 Portion

ZUTATEN:

- 1 Pfund getrimmte Lammkeule ohne Knochen; oder Lendensteaks
- 3 Knoblauchzehen; püriert
- $1\frac{1}{2}$ Zoll großes Stück frischer Ingwer; geschält und gehackt
- $\frac{1}{2}$ Tasse mildes Jalapeno-Gelee oder Marmelade
- 4 Mehl-Tortillas
- Salsa zum Garnieren

ANWEISUNGEN:

a) Lammfleisch in $\frac{1}{2}$-Zoll-Scheiben schneiden; beiseite legen. Knoblauch, Ingwer und Gelee vermischen.

b) Die Ingwermischung auf jeder Lammscheibe verteilen.

c) In der Zwischenzeit einen Außengrill, einen Herdgrill oder eine schwere, gewürzte Pfanne auf mittlere bis hohe Temperatur vorheizen.

d) Zum Garen die Lammscheiben trennen und auf den Grill oder in die Pfanne legen; Pro Seite zwei bis drei Minuten anbraten, bis es medium rare ist.

e) In der Zwischenzeit die Tortillas in einer Plastiktüte eine Minute lang in der Mikrowelle oder kurz über einem Brenner erwärmen.

f) Die Füllung auf die Tortillas verteilen und jede Tortilla um die Füllung wickeln. Nach Belieben mit einer Schüssel Salsa servieren.

48. Gegrillte Schweinefleisch-Tacos und Papaya-Salsa

Ergibt: 5 Portionen

ZUTATEN:

- 1 Papaya; geschält, entkernt, in $\frac{1}{2}$ Zoll große Würfel geschnitten
- 1 kleine rote Chili; entkernt und fein gehackt
- $\frac{1}{2}$ Tasse rote Zwiebel; gehackt
- $\frac{1}{2}$ Tasse rote Paprika; gehackt
- $\frac{1}{2}$ Tasse frische Minzblätter; gehackt
- 2 Esslöffel Limettensaft
- $\frac{1}{4}$ Pfund Schweinefiletbraten ohne Knochen; in Streifen schneiden
- $\frac{1}{2}$ Tasse frische Papaya; gehackt
- $\frac{1}{2}$ Tasse frische Ananas; gehackt
- 10 Mehl-Tortillas, erwärmt
- $1\frac{1}{2}$ Tassen Monterey-Jack-Käse; zerkleinert (6 oz)
- 2 Esslöffel Margarine oder Butter; geschmolzen

ANWEISUNGEN:

a) Schweinefleisch in einer 10-Zoll-Pfanne bei mittlerer Hitze etwa 10 Minuten lang kochen, dabei gelegentlich umrühren, bis es nicht mehr rosa ist; Abfluss.

b) Papaya und Ananas unterrühren. Unter gelegentlichem Rühren erhitzen, bis es heiß ist. Den Ofen auf 425 °F vorheizen.

c) Etwa $\frac{1}{4}$ Tasse der Schweinefleischmischung auf die Hälfte jeder Tortilla geben; Mit etwa 2 Esslöffeln Käse belegen.

d) Tortillas über die Füllung falten. Ordnen Sie fünf der gefüllten Tortillas in einer ungefetteten Jelly Roll-Pfanne

(15 ½ x 10 ½ x 1 Zoll) an. Mit geschmolzener Margarine bestreichen.

e) Ohne Deckel etwa 10 Minuten backen oder bis sie leicht goldbraun sind. Mit den restlichen Tacos wiederholen. Mit Papaya-Salsa servieren.

49. Tacos aus zerkleinertem Schweinefleisch

Ergibt: 12 Portionen

ZUTATEN:
- ½ Pfund Schweinebraten
- 12 weiche hausgemachte Tacos
- 1 Tasse geschnittene Zwiebeln
- ½ Tasse gehackte Tomaten und 1 Avocado
- 1 Dose Tomaten und 2-3 Jalapeno-Chilis
- ½ Tasse Sauerrahmsauce
- 1 Ancho-Chili und 1 Tasse Wasser
- 1 Tasse geriebener Salat
- ½ Teelöffel Salz und Pfeffer
- 1 Tasse geriebener Cheddar-Käse

ANWEISUNGEN:
a) Nehmen Sie einen großen Topf und geben Sie das gehackte Schweinefleisch, das Gemüse, das Wasser und die Gewürze hinzu und kochen Sie es 20 Minuten lang unter gelegentlichem Rühren. Das Gemüse und das Hähnchenfleisch aus der Kochflüssigkeit nehmen und in kleine Stücke schneiden.

b) Stellen Sie die hausgemachten Tortillas mit Salat, Schweinefleisch, Gemüse, Sauerrahmsauce, geriebenem Käse, Tomatenwürfeln und Avocados zusammen.

50. <u>Schweinefleisch-Ei-Taco</u>

Macht: 5-6

ZUTATEN:

- 10 Tortillas
- Vollgekochte Schweinswürste (1 Packung)
- 3 Eier
- $\frac{1}{2}$ Tasse Cheddar-Käse, grob gerieben
- 1 Avocado, in Scheiben geschnitten
- Salz
- Pfeffer

ANWEISUNGEN:

a) Die Eier mit Salz und Pfeffer aufschlagen und auf hoher Flamme kochen.

b) Stellen Sie sicher, dass Sie beide Seiten jeweils etwa eine Minute lang garen.

c) Erhitzen Sie die Würstchen gemäß den Anweisungen auf Ihrer Packungskarte.

d) Sie können die Würste auch durch jedes andere proteinhaltige Lebensmittel ersetzen, das Sie zu Hause haben, einschließlich übrig gebliebenem Fleisch, Hühnchen oder Gemüse.

e) Die Eier herausnehmen und die Tortillas erwärmen. Schalten Sie die Heizung aus und nutzen Sie dazu einfach die Wärme der noch heißen Miederhose.

f) Schneiden Sie das Ei entsprechend der Anzahl der Tortillas in Scheiben und legen Sie ein Stück Ei, Wurst, Avocado, Käse und eine Garnitur Ihrer Wahl hinein. Sie können auch Speck und Rösti hinzufügen.

g) Mit Limette und Salsa servieren.

51. <u>Schweinefleisch-Carnitas-Tacos</u>

Macht: 8

ZUTATEN:

- 1½ kg Schweineschulter geschnitten, in 1 ½ Zoll große Stücke geschnitten
- ½ kg Schweinebauch, in kleine Stücke geschnitten
- 1 Tasse Hühnerbrühe
- 1 Esslöffel Salz
- 1 Teelöffel schwarzer Pfeffer
- 8 Maistortillas

ANWEISUNGEN:

a) Schweineschulter, Schweinebauch, Salz und Pfeffer in einem großen Topf kochen. Kochen

b) Mindestens zwei Stunden lang oder bis das Schweinefleisch zart genug ist, um es leicht zerteilen zu können.

c) Reduzieren Sie die Flüssigkeit zehn Minuten lang, bevor Sie den Topf entfernen.

d) Geben Sie die Hälfte des gekochten Schweinefleischs (und des Bratensafts) in eine große Pfanne und kochen Sie es bei starker Hitze, bis das Schweinefleisch in seinem eigenen Fett zu brutzeln beginnt. Sobald das Schweinefleisch braun und knusprig wird, nehmen Sie es aus der Pfanne. Wiederholen Sie den Vorgang mit dem restlichen Schweinefleisch.

e) Legen Sie das Schweinefleisch in eine Tortilla und garnieren Sie es mit Gemüse Ihrer Wahl wie geschnittenen Avocados, geriebenem Kohl, Zwiebeln, Zucchini, Paprika, Limette und Soße.

52. Taco-Truck-Tacos

Ergibt: 4 Portionen

ZUTATEN:
- 1½ Pfund Schweineschulter (zerkleinert)
- 2 Limetten
- 12 Maistortillas
- 1 Bund Koriander
- ½ Tasse gehackte Zwiebeln
- Radieschen, Avocado und frische Tomaten

ANWEISUNGEN:
a) In einer mittelgroßen Pfanne das zuvor mit Kreuzkümmel, Salz und Pfeffer gewürzte Fleisch anbraten.

b) Anschließend die Tortillas auf beiden Seiten erwärmen und mit Fleisch, Zwiebeln, Avocado, Tomaten und etwas Limettensaft belegen.

53. Tacos mit gegrilltem Kielbasa

Macht: 4

ZUTATEN:
- 1 rote Zwiebel (in 4 Stücke geschnitten)
- 2 Paprika (rot und längs aufgeschnitten. Kerne entfernen)
- 1 Bund Frühlingszwiebeln
- 3 Esslöffel Olivenöl
- Salz
- Pfeffer
- ⅓ Tasse Limettensaft
- 750 Gramm Kielbasa-Wurst, halb vertikal
- 8 Maistortillas
- Koriander

ANWEISUNGEN:
a) Zwiebeln, Paprika und Frühlingszwiebeln zusammen mit Öl über einen auf mittlere Hitze eingestellten Grill geben.

b) Mit Salz und Pfeffer würzen und grillen, bis das Gemüse leicht verkohlt aussieht.

c) Denken Sie jedoch daran, die Frühlingszwiebeln nach 2 Minuten herauszunehmen!

d) Nehmen Sie sie vom Herd und lassen Sie sie abkühlen.

e) Die Zwiebel in 2,5 cm lange Spalten schneiden und mit Limettensaft beträufeln. Entfernen Sie auf ähnliche Weise die Haut von den Paprika, schneiden Sie sie in 2,5 cm lange Spalten und legen Sie sie in eine separate Schüssel. Die Frühlingszwiebeln sollten auf eine andere Platte gelegt werden.

f) Die Würstchen jeweils ca. 5 Minuten grillen und zu den Frühlingszwiebeln legen.

g) Grillen Sie die Tortillas, damit sie leicht verkohlt aussehen.

h) Geben Sie alle Zutaten in jede Tortilla und servieren Sie sie mit scharfer Soße und frischer Limette zum Auspressen.

54. Picadillo-Tacos

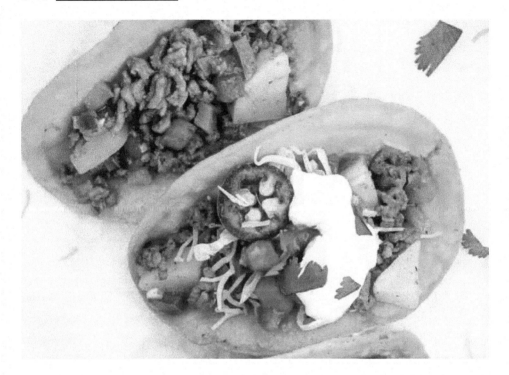

Ergibt: 1 Portion

ZUTATEN:

- $\frac{1}{2}$ Tasse Rosinen
- $\frac{1}{4}$ Tasse Tequila
- $\frac{1}{2}$ Pfund große Schweinswurst
- $\frac{1}{2}$ Pfund Hackfleisch
- 1 mittelgroße Zwiebel, gehackt
- 3 Knoblauchzehen, gehackt
- 1 Dose (14 $\frac{1}{2}$ oz) ganze Tomaten, geschnitten, UNDRAINIERT
- 1 Dose (4 oz) gewürfelte grüne Chilischoten, abgetropft
- 2 Esslöffel Zucker
- 1 Teelöffel gemahlener Zimt
- $\frac{1}{4}$ Teelöffel gemahlener Kreuzkümmel
- 1 Prise gemahlene Nelken
- 12 7-Zoll-Mehl-Tortillas
- $\frac{1}{3}$ Tasse Pekannüsse, fein gehackt
- Geriebener Salat, optional

ANWEISUNGEN:

a) In einem kleinen Topf Rosinen und Tequila vermengen. Zum Kochen bringen; Vom Herd nehmen. 5 Minuten stehen lassen.

b) Zum Füllen: In einer großen Pfanne Wurst, Rindfleisch, Zwiebeln und Knoblauch bei mittlerer Hitze kochen, bis das Fleisch braun ist. Fett abtropfen lassen. Nicht abgetropfte Rosinen, nicht abgetropfte Tomaten, grüne Chilischoten, Zucker, Zimt, Kreuzkümmel und Nelken unterrühren.

c) Zum Kochen bringen; Hitze reduzieren. Ohne Deckel etwa 30 Minuten köcheln lassen oder bis die meiste Flüssigkeit verdampft ist.

d) In der Zwischenzeit Tortillas in Folie einwickeln. In einem 350-Grad-Ofen 10 Minuten lang oder bis es warm ist, erhitzen. Pekannüsse unter die Fleischmischung rühren.

e) Zum Servieren warme Tortillas mit Salat belegen und dann füllen. Falten oder aufrollen.

55. Schweinefleisch-Tacos nach kalifornischer Art

Ergibt: 6 Portionen

ZUTATEN:
- 2 Pfund Schweinefilet
- 6 Frühlingszwiebeln
- 12 kleine frische Maistortillas
- 1 Bund Koriander; große Stiele entfernt
- Guacamole
- 1 Tasse Sauerrahm
- 1 Tasse würzige rote Salsa
- 1 Tasse grüne Chile-Salsa

FÜR DIE MARINADE
- $\frac{1}{2}$ Tasse frisch gepresster Orangensaft
- 2 Esslöffel frisch gepresster Limettensaft
- 1 Teelöffel gehackter frischer Oregano
- $\frac{1}{4}$ Teelöffel Kreuzkümmel
- $\frac{1}{2}$ Teelöffel Majoran
- $\frac{1}{2}$ Teelöffel Salz
- $\frac{1}{4}$ Teelöffel fein gemahlener schwarzer Pfeffer

ANWEISUNGEN:
a) Kombinieren Sie die Zutaten für die Marinade in einer mittelgroßen Schüssel.

b) Schneebesen, bis alles vermischt ist. Legen Sie das Schweinefleisch in eine flache, nicht aus Aluminium gefertigte Schüssel und gießen Sie die Marinade darüber. 6 bis 12 Stunden im Kühlschrank marinieren.

c) Schneiden Sie den grünen Teil der Zwiebel durch und machen Sie zwei Schlitze bis zum Beginn des weißen Teils. Dadurch erhalten die Zwiebeln eine Fächerform.

d) Den Backofen auf 350 Grad vorheizen. Grillpfanne bei mäßig hoher Hitze vorheizen. Grillen Sie das Schweinefleisch auf jeder Seite 15 bis 20 Minuten lang oder bis die Innentemperatur 160 Grad beträgt.

e) Frühlingszwiebeln mit Marinade beträufeln und auf jeder Seite etwa 3 Minuten grillen. Fleisch und Zwiebeln vom Grill nehmen, Fleisch in kleine Stücke schneiden und aufbewahren.

f) Tortillas in Alufolie einwickeln und etwa 10 Minuten im Ofen erwärmen.

g) Halten Sie sich beim Vorbereiten der Teller warm. An den Außenrändern der einzelnen Servierteller ein paar Zweige Koriander, einen großen Klecks Guacamole und einen großen Klecks Sauerrahm anrichten.

h) Legen Sie zwei vorgewärmte Tortillas auf die Seite jedes Tellers und legen Sie Fleisch und gegrillte Frühlingszwiebeln in die Mitte.

i) Geben Sie die würzigen roten und grünen Chile-Salsas in getrennten Schüsseln an.

j) Sofort servieren.

56. <u>Weiche Tacos mit Honig-Koriander-Garnelen</u>

Ergibt: 4 Portionen

ZUTATEN:
- 8 Tortillas
- 1 Teelöffel Pflanzenöl
- ½ Esslöffel Salz und Pfeffer
- 1 große Zwiebel und 1 Jalapeno
- 3 Paprika
- 2 Teelöffel Koriander und Kreuzkümmel
- 2-4 Knoblauchzehen
- 4 Esslöffel frischer Koriander und Honig
- 1 ½ Pfund Cocktailgarnelen

ANWEISUNGEN:
a) Garnelen, Jalapenos, Zwiebeln, Paprika, Gewürze und Knoblauch in einer mittelgroßen Pfanne kochen, bis sie weich sind.

b) In einer Glasschüssel den frischen Koriander und den Honig vermischen, bis eine glatte Mischung entsteht.

c) Die Mischung über jede Tortilla geben; Fügen Sie die Garnelen und etwas Salsasauce hinzu.

57. Baja Fisch-Tacos

Ergibt: 4 Portionen

ZUTATEN:
- 1 ½ Pfund aufgetaute frische Tilapiafilets
- 4 mittelgroße Vollkorn-Tortillas
- 1 Esslöffel frischer Koriander
- 1 Zwiebel, Avocado und Tomate (alles gehackt)
- 2 Teelöffel Taco-Gewürze
- 2 Tassen Krautsalat
- 1 Zitrone (Saft)

ANWEISUNGEN:
a) Das Gemüse fein hacken und den Kohl in kleine Stücke schneiden.

b) Nachdem Sie die Tilapia-Filets mit Taco-Gewürz gewürzt haben, kochen Sie sie 5–6 Minuten lang in einer geölten beschichteten Pfanne.

c) Den Fisch auf beiden Seiten langsam anbraten und etwas Zwiebeln, Zitronensaft und Tomaten darüber geben.

d) Erwärmen Sie jede Tortilla 1 Minute lang in der Mikrowelle und fügen Sie dann die Fischfilets, das Gemüse, den Kohl, den Koriander und die Salsa hinzu.

58. Shrimp Tacos

Ergibt: 5 Portionen

ZUTATEN:
- 1 Pfund geschälte Garnelen
- 10 Maistortillas
- $\frac{1}{2}$ Tasse Sauerrahm
- 1 Esslöffel Gewürze und 1 Chipotle-Pfeffer
- 2 Limetten (für Saft)
- $\frac{1}{2}$ Tasse gehackter Rotkohl
- 2 Esslöffel natives Olivenöl

ANWEISUNGEN:
a) Chipotle, die Hälfte des Limettensafts und die saure Sahne in einer kleinen Schüssel vermischen, bis eine glatte Paste entsteht.

b) In einer vorgeheizten Bratpfanne die geschälten Garnelen mit einigen Gewürzen anbraten.

c) Erwärmen Sie jeden Taco und servieren Sie ihn mit geriebenem Kohl, Chipotle-Creme, gebratenen Garnelen und Soße.

59. Fisch-Tacos mit Koriander-Krautsalat und Chipotle-Mayo

Ergibt: 4 Portionen

ZUTATEN:
- 1 Pfund Tilapia-Fischfilets
- 4 Mehl-Tortillas
- $\frac{1}{2}$ Tasse frischer Limettensaft
- 2 Tassen 3-Farben-Krautsalatmischung
- $\frac{1}{4}$ Tasse Mayonnaise
- 1 Chipotle-Chili, eingeweicht in Adobo-Sauce
- 1 Tasse gehackte frische Korianderblätter
- 1 Avocado und 1 gewürfelte Tomate
- 1 Esslöffel Adobo-Sauce aus Chipotle-Paprika
- $\frac{1}{4}$ Teelöffel Salz und Cayennepfeffer
- Salz und gemahlener schwarzer Pfeffer

ANWEISUNGEN:
a) Gießen Sie den Limettensaft über jedes Tilapia-Fischfilet und bewahren Sie es 4 Stunden lang im Kühlschrank auf.

b) Beginnen Sie mit der Zubereitung des Chipotle-Mayonnaise-Dressings, indem Sie Adobo-Sauce, Cayennepfeffer, Chilis, $\frac{1}{4}$ Teelöffel Salz und Mayonnaise in einer mittelgroßen Schüssel vermischen und alles vermischen.

c) Nehmen Sie den Fisch aus dem Kühlschrank und braten Sie ihn 2-3 Minuten lang in einer geölten mittelgroßen Pfanne an.

d) Verteilen Sie 1 Esslöffel Chipotle-Sauce auf jeder Tortilla, fügen Sie den gekochten Fisch, das Gemüse und die Gewürze hinzu.

60. Tacos mit gegrillten Garnelen und schwarzen Bohnen

Ergibt: 6 Portionen

ZUTATEN:

- 1 Pfund geschälte Garnelen
- 12 Maistortillas
- 2 Esslöffel Chilipulver
- 1 $\frac{1}{2}$ Esslöffel gepresster Limettensaft
- 1 Tasse schwarze Bohnen
- Pico de Gallo
- $\frac{1}{2}$ Teelöffel natives Olivenöl
- $\frac{1}{4}$ Teelöffel Salz
- 6 Spieße

ANWEISUNGEN:

a) Heizen Sie Ihren Grill vor, bereiten Sie dann die Sauce zu, indem Sie die schwarzen Bohnen, den Limettensaft, das Chilipulver und das Salz in einer mittelgroßen Pfanne erhitzen.

b) Sobald eine glatte Paste entstanden ist, bereiten Sie die Garnelenspieße vor. Sie müssen auf beiden Seiten etwa 1-2 Minuten lang gebraten werden, dann jede Garnele bestreichen und weitere 2 Minuten grillen.

c) Stellen Sie Ihre Tortilla zusammen, indem Sie Garnelen, Soße und Gewürze hinzufügen.

61. Geschwärzte Cabo-Fisch-Tacos

Ergibt: 4 Portionen

ZUTATEN:
- 1½ Pfund Weißfisch und 8 Unzen Fischmarinade
- 12 Maistortillas
- ¾ Pfund asiatischer Krautsalat
- 9 Esslöffel Limettensauerrahm
- 4 Unzen Butter
- 7 Esslöffel Chipotle-Aioli
- 7 Esslöffel Pico de Gallo
- 2 Esslöffel schwarzes Pfeffergewürz
- Chipotle Aioli
- ¾ Tasse Mayonnaise
- 1 Teelöffel Limettensaft
- 1 Esslöffel Senf
- Kosheres Salz und gemahlener schwarzer Pfeffer
- 2 Chipotle-Paprika

ANWEISUNGEN:
a) In einem mittelgroßen Topf die ungesalzene Butter schmelzen, den marinierten Weißfisch dazugeben, mit etwas schwarzem Pfeffer bestreuen und auf beiden Seiten 2 Minuten braten.

b) Erwärmen Sie jede Tortilla auf beiden Seiten, fügen Sie das gebratene Hähnchen, die Chipotle-Aioli-Sauce, ein paar Pico de Gallo, etwas asiatischen Krautsalat und einige Gewürze hinzu.

62. Scharfe Garnelen-Tacos

Ergibt: 2 Portionen

ZUTATEN:
- 4 kohlenhydratarme Tortillas
- 4 Esslöffel Mango-Salsa-Sauce
- 16 große Garnelen
- 1 Esslöffel frisch gehackter Koriander
- 1 Tasse Römersalat
- $\frac{1}{2}$ Tasse Cheddar-Käse
- 4 Teelöffel Chilisauce
- $\frac{1}{2}$ Tasse sautierte Zwiebeln
- Saft von 1 Limette

ANWEISUNGEN:
a) Beginnen Sie mit den Garnelen, indem Sie sie 5 Minuten lang marinieren und in der Siracha-Sauce aufspießen.

b) Schalten Sie den Grill ein und kochen Sie die Zwiebeln einige Minuten lang, bis sie gut gegart sind.

c) Legen Sie jede Tortilla darauf und belegen Sie sie mit Sauerrahm, Garnelen, Salat, geriebenem Käse, gegrillten Zwiebeln und anderen Gewürzen.

63. <u>Tilapia-Tacos</u>

Ergibt: 1 Portion

ZUTATEN:

- 1 Pfund Tilapia-Fischfilet
- 2 weiße Maistortillas
- $\frac{1}{2}$ geschnittene Avocado
- $\frac{1}{4}$ Teelöffel Olivenöl
- 1 Tomate
- 1 weiße Zwiebel
- 1 Limettensaft
- 1 Handvoll Koriander

ANWEISUNGEN:

a) In einem vorgeheizten Ofen beginnen Sie, die Tortillas und das Tilapia-Fischfilet auf beiden Seiten zu braten, aber würzen Sie den Fisch mit etwas Olivenöl, Salz und Pfeffer. In einer mittelgroßen Schüssel Tomaten, Limettensaft, Zwiebeln und Gewürze vermischen.

b) Legen Sie eine schöne Schicht zerkleinerten Fisch auf jede Tortilla, fügen Sie die Mischung aus der Schüssel und die in Scheiben geschnittene Avocado hinzu und legen Sie dann den restlichen Fisch darauf.

64. Mit Mojito gegrillte Fisch-Tacos mit Limetten-Krautsalat-Topping

Ergibt: 8 Portionen

ZUTATEN:

- 8 Maistortillas
- 2 Esslöffel Limettensaft
- 2 Esslöffel gehackte Minzblätter
- 1 Pfund fester Weißfisch (Heilbutt, Schnapper oder Kabeljau)
- 1 Esslöffel Rapsöl
- 1 frische Jalapeno-Chili
- $\frac{1}{2}$ Teelöffel Salz und 1 Teelöffel Zucker
- Limettensalat
- 2 Esslöffel Minze
- $\frac{1}{2}$ Tasse fettarme Mayonnaise
- 1 $\frac{1}{2}$ Tassen geriebener Kohl
- 1 Esslöffel frischer Limettensaft

ANWEISUNGEN:

a) Beginnen Sie mit der Kombination der Fisch- und Marinadenzutaten und stellen Sie sie dann für 3 Minuten in den Kühlschrank. Wenn Sie fertig sind, nehmen Sie den Fisch heraus und grillen ihn von beiden Seiten, bis er schön fest wird.

b) Um den Limettensalat zuzubereiten, geben Sie Kohl, Mayonnaise, Limettensaft und Minze in eine mittelgroße Schüssel und rühren Sie alles gut um.

c) Legen Sie den Fisch auf jede Tortilla, fügen Sie einige Löffel Krautsalat und Gemüse hinzu.

65. <u>Gegrillte Fisch-Tacos mit Koriandersauce</u>

Ergibt: 2 Portionen

ZUTATEN:
SOSSE
- $\frac{1}{4}$ Tasse Frühlingszwiebeln und Koriander
- 2 $\frac{1}{2}$ Esslöffel Mayonnaise
- 3 Esslöffel Sauerrahm
- 2 Limetten (Saft)
- $\frac{1}{2}$ Teelöffel Salz, Pfeffer und 1 Knoblauchzehe

FISCH
- 2 Pfund Red Snapper Steaks
- 4 Maistortillas
- 2 $\frac{1}{2}$ Dosen Kohl
- 1 Esslöffel gemahlener Kreuzkümmel und Koriander
- $\frac{1}{2}$ Teelöffel roter Pfeffer, Paprika und Knoblauchsalz

ANWEISUNGEN:
a) Beginnen Sie mit dem Kombinieren der Zutaten für die Koriandersauce in einer mittelgroßen Schüssel und stellen Sie sie dann beiseite.

b) Den Fisch mit etwas Knoblauchpulver, Kreuzkümmel, Paprika, Koriander und rotem Pfeffer würzen und auf beiden Seiten jeweils 5 Minuten grillen.

c) Sobald der Fisch fertig ist, schneiden Sie ihn der Länge nach auf und legen Sie ihn auf Tortillas. Geben Sie den Kohl und 1 Esslöffel Koriandersauce darüber.

66. <u>Gesunde Fisch-Tacos</u>

ZUTATEN:

- 1 Pfund weißer Flockenfisch, wie zum Beispiel Mahi Mahi
- $\frac{1}{4}$ Tasse Rapsöl
- 1 Limette, entsaftet
- 1 Esslöffel Ancho-Chilipulver
- 1 Jalapeno, grob gehackt
- $\frac{1}{4}$ Tasse gehackte frische Korianderblätter
- 8 Mehl-Tortillas
- Geschredderter Weißkohl
- Scharfe Soße
- Crema oder Sauerrahm
- In dünne Scheiben geschnittene rote Zwiebel
- In dünne Scheiben geschnittene Frühlingszwiebeln
- Gehackte Korianderblätter

ANWEISUNGEN:

a) Grill auf mittlere bis hohe Stufe vorheizen. Den Fisch in eine Schüssel geben und Öl, Limettensaft, Jalapeno, Ancho und Koriander hinzufügen. Gut vermischen, damit der Fisch bedeckt ist, und 20 Minuten marinieren lassen.

b) Nehmen Sie den Fisch aus der Marinade und grillen Sie ihn mit der Fleischseite nach unten. 4 Minuten grillen, dann umdrehen und 30 Sekunden bis eine Minute grillen.

c) Lassen Sie es 5 Minuten ruhen, bevor Sie es mit einer Gabel zerkleinern.

d) Die Tortillas 20 Sekunden lang grillen.

e) Den Fisch auf jeden Taco verteilen und mit Kohl, Zwiebeln und Koriander garnieren.

f) Mit scharfer Soße beträufeln und Salsa Ihrer Wahl hinzufügen.

67. Cajun-Garnelen-Tacos mit Tomatillo-Salsa

Ergibt: 8 Portionen

ZUTATEN:

- 2 Tassen Sauerrahm
- 2 Teelöffel Chilipulver
- $\frac{1}{2}$ Teelöffel Cayennepfeffer
- $\frac{3}{4}$ Pfund Tomaten, enthäutet, abgespült, geviertelt
- $\frac{1}{2}$ Tasse grob gehackter ungeschälter grüner Apfel
- 2 Esslöffel grob gehacktes frisches Basilikum
- 2 Esslöffel grob gehackte frische Minze
- $1\frac{1}{2}$ Teelöffel Chilipulver
- $1\frac{1}{2}$ Teelöffel Paprika
- 2 Pfund Ungekochte mittelgroße Garnelen, geschält, entdarmt
- 2 Esslöffel Olivenöl
- 1 Esslöffel gehackter Knoblauch
- 16 gekaufte Taco-Schalen
- 1 großer Bund Brunnenkresse, geputzt
- 2 Avocados, geschält, entkernt, gewürfelt

ANWEISUNGEN:
FÜR SAURE CREME:
a) Alle Zutaten in einer mittelgroßen Schüssel verquirlen. Mit Salz.
FÜR SALSA:
b) Tomaten, Apfel, Basilikum und Minze in einer Küchenmaschine fein hacken.
c) In eine kleine Schüssel umfüllen. Mit Salz abschmecken.
FÜR GARNELEN:

d) Chilipulver und Paprika in einer großen Schüssel vermischen. Garnelen hinzufügen; Zum Überziehen werfen.

e) 5 Minuten stehen lassen. Öl in einer schweren, großen Pfanne bei starker Hitze erhitzen.

f) Fügen Sie Knoblauch hinzu und braten Sie ihn etwa 1 Minute lang an, bis er duftet. Garnelen hinzufügen; Etwa 5 Minuten anbraten, bis die Mitte undurchsichtig ist.

g) Mit Salz und Pfeffer würzen. In eine kleine Schüssel umfüllen.

h) Ofen auf 350°F vorheizen. Ordnen Sie die Taco-Schalen auf einem schweren, großen Backblech an. Etwa 8 Minuten lang backen, bis es heiß ist. Legen Sie die Muscheln in einen mit Servietten ausgelegten Korb.

i) Die Hälfte der Brunnenkresse auf einer Platte anrichten.

j) Mit Garnelen belegen. Restliche Brunnenkresse hacken. In eine kleine Schüssel geben.

k) Sauerrahm, Salsa, Avocados und gehackte Brunnenkresse in separate Schüsseln geben.

68. Ceviche-Tacos

Ergibt: 4 Portionen

ZUTATEN:

- 1½ Pfund Red Snapper-Filets; in ½-Zoll-Stücken
- Saft von 10 Limetten
- 1 Zwiebel; fein gehackt
- 1 Jalapenopfeffer; entkernt/fein gehackt
- 14½ Unzen Dose Tomaten
- ½ Tasse Maiskörner
- ¼ Tasse gehackter Koriander
- 2 Esslöffel Olivenöl
- 2 Esslöffel Catsup
- 1 Esslöffel Worcestershire-Sauce
- ½ Teelöffel getrockneter Oregano
- Salz; schmecken
- 8 Maistortillas
- 1 rote Zwiebel; dünn geschnitten
- 1 Avocado; geschält/in Scheiben geschnitten

ANWEISUNGEN:

a) In einer großen Glas- oder nicht reaktiven Aluminiumschüssel Fisch und Limettensaft vorsichtig vermischen. Abdecken, im Kühlschrank aufbewahren und über Nacht marinieren.

b) Wenn Sie den Fisch morgens herausnehmen, ist er „durchgegart" und kann unbedenklich gegessen werden.

c) Zum Servieren der Tacos Zwiebeln, Jalapeno, Tomaten, Mais-Koriander, Olivenöl, Ketchup, Worcestershire-Sauce und Oregano in einer großen Glasschüssel vermengen. Gut mischen. Mit Salz abschmecken.

d) Den Fisch abgießen und abspülen, zur Tomatenmischung geben und vorsichtig umrühren, bis er bedeckt ist.

e) Tortillas in der Mikrowelle oder im Ofen erhitzen. $\frac{1}{8}$ der Fischmischung in die Tortilla geben und mit roten Zwiebeln und Avocado garnieren.

69. <u>Gegrillte Fisch-Tacos mit grüner Salsa</u>

Ergibt: 4 Portionen

ZUTATEN:

- $3\frac{1}{2}$ Tassen fein geraspelter Rot- oder Grünkohl
- $\frac{1}{4}$ Tasse weißer destillierter Essig
- Salz und Pfeffer
- $\frac{3}{4}$ Pfund frische Tomaten
- 2 Esslöffel Salatöl
- 1 Zwiebel, in $\frac{1}{2}$-Zoll-Scheiben geschnitten
- $1\frac{1}{2}$ Pfund festfleischige und enthäutete Fischfilets (Lingdorsch, Wolfsbarsch)
- 4 Jalapeno-Chilis
- 2 Teelöffel Limettensaft
- $\frac{3}{4}$ Tasse frische Korianderblätter
- 1 Knoblauchzehe
- 12 warme Tortillas aus Mais oder fettarmem Mehl (15–17 cm)
- Fettarme saure Sahne
- Limettenspalten

ANWEISUNGEN:

a) Halten Sie in manchen Supermärkten und Latino-Lebensmittelgeschäften Ausschau nach kleinen grünen Tomatillos mit papierartigen Schalen.

b) Kohl mit Essig und 3 EL Wasser vermischen. Mit Salz und Pfeffer abschmecken. Abdecken und kalt stellen.

c) Entfernen Sie die Schale von den Tomatillos und entsorgen Sie sie. Tomaten abspülen.

d) Auf Spieße stecken. Etwas Öl leicht auf die Zwiebelscheiben streichen. Fisch abspülen und trocken tupfen. Den Fisch mit dem restlichen Öl bestreichen.

e) Tomaten, Zwiebeln und Chilis auf einen Grill legen.

f) 8-10 Minuten kochen, dabei nach Bedarf wenden, bis das Gemüse gebräunt ist.

g) Zum Abkühlen beiseite stellen.

h) Legen Sie den Fisch auf den Grill (mittlere bis hohe Hitze). Unter einmaligem Wenden kochen, bis der Fisch undurchsichtig ist, aber an der dicksten Stelle noch feucht aussieht (auf Probe schneiden), 10-14 Minuten.

i) Stiele von den Chilis entfernen; Samen entfernen.

j) In einem Mixer oder einer Küchenmaschine Tomaten, Chilis, Limettensaft, $\frac{1}{4}$ c Koriander und Knoblauch verrühren, bis eine glatte Masse entsteht. Zwiebel hacken. Die gehackte Zwiebel zur Salsa-Mischung geben und mit Salz und Pfeffer abschmecken.

k) In eine kleine Schüssel füllen.

l) Um jeden Taco zusammenzustellen, füllen Sie eine Tortilla mit etwas Kohlrelish, ein paar Fischstücken, Salsa und Sauerrahm. Einen Spritzer Limette sowie Salz und Pfeffer nach Geschmack hinzufügen.

70. Margarita-Garnelen-Tacos

Ergibt: 6 Portionen

ZUTATEN:

- 1½ Pfund Shell-on Shrimps; ungekocht
- ½ Tasse Tequila
- ½ Tasse Limettensaft
- 1 Teelöffel Salz
- 1 gehackte Knoblauchzehe; oder mehr nach Geschmack
- 3 Esslöffel Olivenöl; oder weniger
- 2 Esslöffel gehackter Koriander
- 24 Mehl-Tortillas; (6 oder 7 Zoll)
- Zerkleinerter Salat
- 1 Avocado; geschnitten; oder mehr
- Salsa Fresca; wie benötigt
- 1 Dose (15 oz) schwarze Bohnen
- 1 Dose (10 oz) Maiskörner
- ½ Tasse gehackte rote Zwiebel
- ¼ Tasse Olivenöl
- 2 Esslöffel Limettensaft
- ¼ Teelöffel gemahlener Kreuzkümmel
- ¼ Teelöffel Oregano
- ¼ Teelöffel Salz

ANWEISUNGEN:

a) Garnelen schälen und entdarmen, ggf. den Schwanz behalten; beiseite legen. Tequila, Limettensaft und Salz vermischen; Über die Garnelen gießen und nicht länger als 1 Stunde marinieren.

b) Gehackten Knoblauch in 1 Esslöffel Öl anbraten, bis er hellbraun ist; Garnelen hinzufügen, kochen und rühren, bis sie fertig sind, 2 bis 3 Minuten. Nach Bedarf Öl hinzufügen.

c) Mit Koriander bestreuen und warm halten. Für jeden Taco 2 weiche Tortillas zusammenfalten; Mit geriebenem Salat und schwarzem Bohnen- und Maisrelish füllen.

d) Mit Garnelen, Avocadoscheiben und Salsa belegen.

e) Relish aus schwarzen Bohnen und Mais: Bohnen abspülen und abtropfen lassen; Mais abtropfen lassen,

f) Bohnen und Mais mit den restlichen Zutaten vermischen; Im Kühlschrank aufbewahren, um die Aromen zu vermischen.

71. Lachs-Tacos

Ergibt: 8 Tacos

ZUTATEN:

- 418 Gramm Alaska-Lachs in Dosen
- 8 Esslöffel Frischkäse
- 50 Gramm Gurke; geschnitten
- $\frac{1}{2}$ Teelöffel Minze
- 8 fertige Taco-Schalen
- 100 Gramm Eisbergsalat, zerkleinert
- 3 Tomaten; gehackt
- 50 Gramm Cheddar-Käse, gerieben
- Oliven, Sardellen oder gehackte Paprika zum Garnieren

ANWEISUNGEN:

a) Heizen Sie den Ofen auf 200 °C (400 °F) und Gasstufe 6 vor.

b) Lassen Sie die Dose Lachs abtropfen. Den Fisch zerkleinern und beiseite stellen. Mischen Sie Frischkäse oder griechischen Joghurt, Gurke und Minze. Beiseite legen.

c) Die Taco-Schalen 2-3 Minuten im Ofen erhitzen, bis sie geschmeidig sind.

d) In jede Schale Salat und Tomate stapeln und mit Lachsstücken, einem Löffel der Gurkenmischung und etwas geriebenem Käse belegen.

e) Garnieren und sofort servieren.

72. Meeresfrüchte-Tacos mit Maissalsa

Ergibt: 4 Portionen

ZUTATEN:

- 1 Pfund Felsenbarschfilets
- 2 Limetten; Saft von
- 2 Teelöffel Olivenöl
- 8 frische Maistortillas
- 1 Tasse Maiskörner; gekocht
- 1 mittelgroße rote Zwiebel; gehackt
- 1 Tasse entkernte gehackte Gurke
- 2 Jalapenopfeffer; gehackt oder nach Geschmack
- $\frac{1}{2}$ Bund Koriander; gehackt
- $\frac{1}{2}$ Tasse gehackte rote Paprika
- $\frac{1}{2}$ Teelöffel Salz; schmecken
- $\frac{1}{2}$ Teelöffel Pfeffer; schmecken
- 2 Limetten; Saft von
- Salatblätter oder geriebener Kohl; Optional
- Limettenspalten; Optional
- Korianderzweige; Optional

ANWEISUNGEN:

a) Fisch 30 Minuten in Limettensaft und Olivenöl marinieren.

b) Grillen Sie den Fisch auf dem Grill oder braten Sie ihn im Ofen insgesamt 10 Minuten pro Zoll Dicke, etwa 5 Minuten pro Seite. Der Fisch ist fertig, wenn das Fleisch in der Mitte undurchsichtig wird.

c) Tortillas erhitzen, bis sie geschmeidig sind. Legen Sie den Fisch in die Mitte und garnieren Sie ihn nach Geschmack. Verwenden Sie Zahnstocher oder rollen Sie Wachspapier ein, um die Tacos zusammenzuhalten.

CORN SALSA

d) In einer mittelgroßen Schüssel alle Zutaten vermischen.
1 Stunde ruhen lassen, um die Aromen zu vermischen.

73. <u>Weiche Tacos mit Red Snapper</u>

Ergibt: 4 Portionen

ZUTATEN:
- $\frac{1}{4}$ Tasse Olivenöl
- 2 rote Zwiebeln, halbiert und in dünne Scheiben geschnitten
- 1 Teelöffel Salz
- $1\frac{1}{2}$ Teelöffel Pfeffer
- 2 Teelöffel gehackter frischer Thymian
- $1\frac{1}{2}$ Pfund Red Snapper, in mundgerechte Stücke geschnitten
- 1 Teelöffel gehackter Knoblauch
- 2 Teelöffel Limettensaft
- 2 Teelöffel Sojasauce
- 2 Teelöffel gehackter frischer Oregano
- 8 weiche Maistortillas, erwärmt
- 3 Tassen geriebener Salat

ANWEISUNGEN:
a) In einer Pfanne 2 Esslöffel Öl bei mäßig hoher Hitze erhitzen, bis es heiß ist. Zwiebeln, Salz, $\frac{1}{2}$ Teelöffel Pfeffer und Thymian hinzufügen und anbraten, bis es eine satte goldene Farbe hat.

b) Erhitzen Sie eine weitere Pfanne bei mäßig hoher Hitze, bis sie heiß ist, und geben Sie die restlichen 2 Esslöffel Öl hinzu. Schwenken und Schnapper dazugeben.

c) Unter häufigem Wenden 2 Minuten lang anbraten, Knoblauch, Limettensaft und Sojasauce hinzufügen und anbraten, bis die Flüssigkeit fast verdampft ist und der Schnapper eine leicht goldene Farbe hat.

d) Oregano und restlichen Pfeffer hinzufügen und vermengen. Zwiebelmischung hinzufügen und gut vermischen.

e) Tortillas mit Salat füllen und mit der Snapper-Zwiebel-Mischung belegen.

74. <u>Tacos mit frischen Früchten</u>

ZUTATEN:

- Vollkorn-Tortillas (klein)
- Wasser
- Zimt
- Zucker
- Griechischer Joghurt (Vanillegeschmack)
- Frisches Obst Ihrer Wahl (gewürfelt):
- Erdbeeren
- Mangos
- Ananas
- Kiwis

ANWEISUNGEN:

a) Den Ofen auf 325 °F vorheizen.

b) Schneiden Sie mit einem runden Ausstecher aus Kunststoff kleine Kreise aus den Vollkorn-Tortillas (ca. 2 pro kleine Tortilla).

c) Legen Sie diese kleinen Tortillas auf eine Backform. Geben Sie Wasser in eine kleine Schüssel. Bestreichen Sie die Oberseite der Tortillas mit einem Backpinsel leicht mit Wasser.

d) Mischen Sie eine kleine Menge gemahlenen Zimt und Zucker in einer Schüssel. Die feuchten Tortillas mit der Zimt-Zucker-Mischung bestäuben.

e) Drapieren Sie jede Tortilla mit einer Zange einzeln über den Rost im Toaster, sodass die Seiten der Tortilla zwischen zwei Metallstangen auf dem Rost fallen.

f) Backen Sie ca. 5-7 Minuten, dabei die Tortillas regelmäßig überprüfen.

g) Heben Sie die Tortillas mit einer Zange vom Rost und legen Sie sie auf ein Kühlregal. Tortillas sollten zum

Abkühlen in dieser umgedrehten Position bleiben. Dies ist der letzte Schritt bei der Bildung der Taco-Form.

h) Übertragen Sie die abgekühlten Taco-Schalen auf einen Teller und geben Sie einen Klecks griechischen Vanillejoghurt in die Tortilla-Schale. Glätten Sie mit einem Löffel den Boden und die Seiten der Schale und bedecken Sie sie.

i) Geben Sie Ihre Lieblingsfrucht in die Schale und genießen Sie!

75. <u>Mit Früchten gefüllte, fettarme Kakao-Tacos</u>

Ergibt: 6 Portionen

ZUTATEN:

- $\frac{1}{4}$ Tasse Mehl
- $\frac{1}{4}$ Tasse Zucker
- 1 Esslöffel Backkakao
- 2 Esslöffel 2 % Milch
- 2 Esslöffel Öl
- 1 Eiweiß
- 1 Teelöffel Vanilleextrakt
- Salz nach Geschmack
- 8 Unzen fettarmer Joghurt mit Fruchtgeschmack
- 4 Kiwis; geschält, in Scheiben geschnitten
- 6 große Erdbeeren; geschnitten
- 8 Unzen Mango-Coulis
- 1 Unze Himbeersauce
- 1 Pint frische Himbeeren
- 6 Zweige frische Minze

ANWEISUNGEN:

a) Zutaten in einer Schüssel vermischen ; glatt rühren. Abgedeckt 2 Stunden kalt stellen.

b) Geben Sie jeweils drei Esslöffel in eine vorgeheizte, beschichtete 20-Zoll-Pfanne bei mittlerer Hitze. 2 Minuten kochen lassen oder bis der Teig trocken erscheint; drehen. 1 Minute länger kochen lassen. Herausnehmen und über den Rost legen; 15 bis 20 Minuten abkühlen lassen.

c) Die Hälfte jeder gebackenen Schale mit Joghurt bestreichen. Abwechselnd 5 Scheiben Kiwis und 5

Scheiben Erdbeeren auf Joghurt verteilen. Falten Sie die Schalen um, sodass Tacos entstehen.

d) Mango-Coulis in Ovalen von 7,6 x 10 cm auf den unteren Hälften von 6 Tellern verteilen.

e) Himbeersauce in 2 Streifen über die Coulis spritzen. Mit einem Messer durch die Saucen schwenken.

f) 1 Taco neben Coulis auf jeden Teller legen. Jeden Teller mit Himbeeren und Minze garnieren.

76. Kokosnuss-Frucht-Tacos

Ergibt: 6 Portionen

ZUTATEN:

- ⅓ Tasse gebackene Kokosnuss
- 1 Tasse Erdbeeren, in Scheiben geschnitten
- ½ Tasse kernlose grüne Weintrauben, halbiert
- 1 mittelgroßer Apfel, entkernt, entkernt und gehackt
- 1 kleine Banane, in Scheiben geschnitten
- 2 Esslöffel gießbares Obst, jede Geschmacksrichtung
- 6 Taco-Schalen
- ⅓ Tasse Vanillejoghurt

ANWEISUNGEN:

a) Kokosnuss auf dem Backblech verteilen.

b) Im Ofen bei 180 °C (350 °F) 7 bis 12 Minuten lang rösten, dabei häufig umrühren.

c) Währenddessen in einer mittelgroßen Schüssel Erdbeeren, Weintrauben, Äpfel, Bananen und gießbares Obst verrühren.

d) Taco-Schalen gleichmäßig mit Früchten füllen.

e) Die gefüllten Tacos gleichmäßig mit Joghurt belegen.

f) Mit gerösteter Kokosnuss bestreuen.

77. Gebratene Ananas-Orangen-Tacos mit geriebener Schokolade

Ergibt: 6 Portionen

ZUTATEN:

- $\frac{1}{2}$ mittelgroße Ananas; geschält, entkernt, in 1 Stück geschnitten
- 2 Orangen; geschält, entkernt, in Scheiben geschnitten
- 2 Esslöffel dunkelbrauner Zucker
- 4 Esslöffel Butter
- $1\frac{1}{2}$ Esslöffel Puderzucker
- 6 Mais- oder Mehl-Tortillas
- $1\frac{1}{2}$ Tassen Schlagsahne
- $\frac{1}{2}$ Tasse zerkleinerte frische Minzblätter
- 2 Unzen bittersüße Schokolade; Fein gerieben

ANWEISUNGEN:

a) Geben Sie die Ananas- und Orangenstücke in eine große, nicht reaktive Bratpfanne. Mit dem braunen Zucker bestreuen.

b) Bei mittlerer bis hoher Hitze ca. 3 Minuten kochen, bis sie anfangen zu bräunen.

c) Wenden und auf der anderen Seite braten, bis die Flüssigkeit verdampft ist und die Stücke gebräunt sind, weitere 2 bis 3 Minuten.

d) Herausnehmen und beiseite stellen.

e) Geben Sie 1 Esslöffel Butter und $\frac{1}{2}$ Esslöffel Puderzucker in eine Bratpfanne, die groß genug ist, um eine Tortilla aufzunehmen.

f) Bei mittlerer bis hoher Hitze erhitzen, bis Butter und Zucker schmelzen. Aufsehen.

g) Eine Tortilla hinzufügen und 30 Sekunden braten.

h) Wenden und auf der anderen Seite weitere 30 bis 45 Sekunden braten, bis es braun und leicht knusprig ist. Entfernen.

i) Fahren Sie mit den restlichen Tortillas fort und geben Sie nach Bedarf mehr Butter und Zucker in die Pfanne.

j) Zum Zusammensetzen die Sahne schlagen, bis sich weiche Spitzen bilden. Etwa ⅓ Tasse der Ananas-Orangen-Mischung in der Mitte einer mit Zucker überzogenen Tortilla verteilen.

k) Mit Schlagsahne, Minzblättern und einer Prise geriebener Schokolade belegen. Falten und servieren.

78. Fisch-Tacos für Kinder

Ergibt: 1 Portion

ZUTATEN:
- Gefrorene panierte Fischstäbchen
- Taco Soße
- Kopfsalat
- Tomate, gewürfelt
- Cheddar-Käse, gerieben
- Sauerrahm
- Taco-Schalen

ANWEISUNGEN:
a) Die Fischstäbchen nach Packungsanleitung kochen.
b) Nach dem Garen ein Fischstäbchen in jeden Taco stecken.
c) Die verschiedenen Toppings hinzufügen und sofort servieren.

79. Eis-Tacos

Ergibt: 6 Portionen

ZUTATEN:

- 2 Esslöffel Zucker
- $\frac{1}{2}$ Teelöffel gemahlener Zimt
- $1\frac{1}{2}$ Esslöffel Butter, geschmolzen
- 8 (5 Zoll) Taco-Schalen
- 1 Liter Eiscreme, jede Geschmacksrichtung

ANWEISUNGEN:

a) In einer Tasse Zucker und Zimt vermischen. Beiseite legen. Die Innenseite jeder Taco-Schale leicht mit Butter bestreichen. Mit der Zuckermischung bestreuen und beiseite stellen. Entfernen Sie den Deckel vom Eiskarton.

b) Eis herausnehmen und auf ein Schneidebrett legen.

c) In vier Scheiben schneiden. Jede Scheibe halbieren. Legen Sie jede Hälfte in eine vorbereitete Taco-Schale. Ordnen Sie die Eiscreme-Tacos in einer 33 x 23 x 5 cm großen Backform an.

d) Mit Plastikfolie oder Folie fest abdecken und einfrieren.

e) Zum Servieren die Tacos auf eine Platte geben.

f) Mit einer Auswahl an Belägen wie geschnittenen Erdbeeren, Blaubeeren, Schlagsahne, gehackten Nüssen, gerösteter Kokosnuss, Schokolade oder Karamellsauce servieren.

80. Knusprige Kichererbsen-Tacos

Ergibt: 6 Tacos

ZUTATEN:
- 6 Mais- oder Mehl-Tortillas
- Eine 15-Unzen-Dose Kichererbsen, abgespült und abgetropft
- $\frac{1}{2}$ Teelöffel Ancho-Chilipulver
- 3 Tassen geriebener Grünkohl
- 1 Tasse geraspelte Karotte
- $\frac{1}{2}$ Tasse dünn geschnittene rote Zwiebel
- $\frac{1}{2}$ Tasse entkernte und klein gewürfelte Poblano-Pfeffer
- $\frac{1}{2}$ Tasse geschnittene Frühlingszwiebel
- $\frac{1}{4}$ Tasse gehackter frischer Koriander
- $\frac{1}{4}$ Tasse Tofu-Cashew-Mayonnaise 1 Portion
- 2 Esslöffel Limettensaft $\frac{1}{4}$ Teelöffel Meersalz
- 1 Avocado, entkernt und in Scheiben geschnitten
- 1 Esslöffel Sriracha

ANWEISUNGEN:
a) Heizen Sie den Ofen auf 375 °F vor.
b) Formen Sie die Tortillas, indem Sie sie in eine beschichtete , ofenfeste Schüssel geben und im Ofen 5-10 Minuten lang knusprig backen.
c) In einer großen Rührschüssel die Kichererbsen mit einer Gabel zerdrücken und mit dem Chilipulver bestreuen.
d) Kohl, Karotte, rote Zwiebel, Poblano-Pfeffer, Frühlingszwiebel, Koriander, Mayonnaise und Limettensaft hinzufügen.
e) Gründlich mischen und zuletzt Salz hinzufügen.

f) Die Salatmischung auf die Taco-Schalen verteilen und mit der geschnittenen Avocado belegen. Fügen Sie Sriracha hinzu, wenn Sie Ihre Tacos scharf mögen.

81. <u>Tempeh-Tacos</u>

Ergibt: 3 bis 4 Portionen

ZUTATEN:

- Öl, für Pfanne
- 1 Packung (8 Unzen) Tempeh
- 1¾ Tassen ungesüßte Reismilch
- 1 Esslöffel Dijon-Senf
- 1 Esslöffel Sojasauce oder Tamari
- ½ Teelöffel Paprika
- 2 Esslöffel Dulse-Flocken
- 1 Esslöffel Nährhefe
- ¼ Tasse Maismehl
- 13. Tasse Semmelbrösel nach Panko-Art
- 1 Esslöffel Pfeilwurz-Mais-Tortillas für Tacos
- 1 Avocado, in Scheiben geschnitten

ANWEISUNGEN:

a) Heizen Sie den Ofen auf 350 Grad F vor. Besprühen Sie ein Backblech mit Öl. Schneiden Sie Tempeh in 5 cm lange und ½ cm dicke Stücke. Die feuchten Zutaten verquirlen und beiseite stellen.

b) Geben Sie die trockenen Zutaten in eine Küchenmaschine und zerkleinern Sie sie ein paar Mal, bis die Mischung ein feines Mehl ergibt. In eine kleine Schüssel geben. Jedes Stück Tempeh in der Reismilchmischung eintauchen und dann mit der Semmelbröselmischung vermengen.

c) In drei Reihen im Abstand von etwa 2,5 cm auf das Backblech legen. Öl auf die Stücke sprühen und dann 15 Minuten backen. Umdrehen und weitere 15 Minuten backen.

d) Sofort in einer Maistortilla mit Avocadoscheiben und Mango-Pfirsich-Salsa servieren.

82. Pilz-Tacos mit Chipotle-Creme

Macht: 4

ZUTATEN:
- 1 mittelgroße rote Zwiebel, in dünne Scheiben geschnitten
- 1 großer Portobello-Pilz, in $\frac{1}{2}$-Zoll-Würfel gewürfelt
- 6 Knoblauchzehen, gehackt
- Meersalz nach Geschmack
- 12 6-Zoll-Maistortillas
- 1 Tasse Chipotle-Sahnesauce
- 2 Tassen geriebener Römersalat
- $\frac{1}{2}$ Tasse gehackter frischer Koriander

ANWEISUNGEN:
a) Eine große Pfanne bei mittlerer bis hoher Hitze erhitzen.

b) Fügen Sie die roten Zwiebeln und Portobello-Pilze hinzu und braten Sie sie 4 bis 5 Minuten lang an.

c) Fügen Sie jeweils 1 bis 2 Esslöffel Wasser hinzu, damit die Zwiebeln und Pilze nicht anhaften.

d) Den Knoblauch hinzufügen und 1 Minute kochen lassen. Mit Salz.

e) Während die Pilze kochen, geben Sie 4 Tortillas in eine beschichtete Pfanne und erhitzen Sie sie einige Minuten lang, bis sie weich werden.

f) Drehen Sie sie um und erhitzen Sie sie weitere 2 Minuten lang. Entfernen

83. Linsen-, Grünkohl- und Quinoa-Tacos

Ergibt: 8 Portionen

ZUTATEN:
FÜLLUNG
- 3 Tassen Quinoa, gekocht (1 Tasse trocken)
- 1 Tasse Linsen, gekocht ($\frac{1}{2}$ Tasse trocken)
- Eine Charge Taco-Gewürz
- 1 Esslöffel Kokosöl
- 3 große Blätter Grünkohl, Stiele entfernt, gehackt
- Taco-Schalen aus blauem Mais

Toppings
- 2 Avocados, entkernt, geschält und in Scheiben geschnitten
- Frische Korianderblätter. Frische Limettenschnitze

ANWEISUNGEN:
a) In einem großen, auf mittlere Temperatur erhitzten Topf gekochtes Quinoa, Linsen, Taco-Gewürz, Kokosnussöl und Grünkohl unterheben. 3–5 Minuten lang gut umrühren, bis die Blätter durch die Hitze welk werden.

b) Taco-Schalen auf einem mit Backpapier ausgelegten Backblech gemäß den Anweisungen des Herstellers rösten.

c) Füllen Sie die Schalen mit der Füllung und geben Sie dann Avocado, Koriander und einen Spritzer Limette darauf. Warm servieren.

84. <u>Schwarze Bohnen-Tacos mit Maissalsa-Topping</u>

Macht: 4

ZUTATEN:

- Olivenöl kochen
- 2 Knoblauchzehen
- 2 $\frac{1}{2}$ Tassen schwarze Bohnen, abgespült und abgetropft
- $\frac{1}{4}$ Tasse Hafer
- $\frac{1}{4}$ Tasse Maismehl
- 1 Esslöffel rotes Chilipulver
- 1 Teelöffel koscheres Salz, geteilt
- $\frac{1}{2}$ Teelöffel schwarzer Pfeffer (gemahlen und geteilt)
- 8 Maistortillas (klein)
- 1 Tasse Mais, aufgetaut, falls gefroren
- 1 rote Paprika (mittelgroß, gehackt)
- 1 grüne Chili (klein, gewürfelt)
- 2 Frühlingszwiebeln (gehackt)
- 2 Limetten (entsaftet)
- $\frac{1}{4}$ Tasse frischer Koriander (gehackt)

ANWEISUNGEN:

a) Heizen Sie den Ofen auf 400 °F vor und sprühen Sie Speiseöl auf ein Backblech.

b) Gehackten Knoblauch zusammen mit den Bohnen, Haferflocken, Chili und Maismehl in eine Verarbeitungsmaschine geben. Vor der Verarbeitung der Mischung Salz und Pfeffer hinzufügen.

c) Bereiten Sie ein Backblech vor und verteilen Sie die Mischung darauf. Besprühen Sie es unbedingt mit Speiseöl, bevor Sie die Mischung 20 bis 30 Minuten lang backen.

d) Besprühen Sie es anschließend mit weiterem Speiseöl und backen Sie weiter. Dies trägt dazu bei, dass die gesamte Mischung gleichmäßig gebacken wird.

e) Nach dem Backen die Bohnenmischung in eine Schüssel geben und gut mit Mais, Paprika, Chili und Frühlingszwiebeln vermischen.

f) Die Tortillas sollten in Folie eingewickelt und 5 Minuten im Ofen erwärmt werden.

g) Die Bohnenmischung auf den Tortillas verteilen und mit Maissalsa und Koriander-Topping servieren.

85. Gegrillte Haloumi-Tacos

Macht: 4

ZUTATEN:
- Olivenöl
- 2 geschälte Ähren
- Koscheres Salz
- Schwarzer Pfeffer
- 1 kleine rote Zwiebel, in Scheiben geschnitten
- ½ kg Halloumi, in dicke Scheiben geschnitten
- 8 Maistortillas

ANWEISUNGEN:
a) Bereiten Sie den Grill vor, stellen Sie ihn auf mittlere bis hohe Hitze und ölen Sie die Roste gründlich ein.

b) Die Maisschalen leicht mit Öl bestreichen und mit Salz und Pfeffer würzen. Die Zwiebelringe mit Öl, Salz und Pfeffer vermengen. Grillen Sie beide Zutaten, 10-15 Minuten für Mais und 4 Minuten für Zwiebeln, und wenden Sie dabei häufig, um sicherzustellen, dass er zart und stellenweise verkohlt ist.

c) Sobald der Mais abgekühlt ist, schneiden Sie die Körner von den Maiskolben und geben Sie sie in eine mittelgroße Schüssel.

d) Den Käse mit etwas Öl bestreichen und nach dem Würzen mit etwas Salz und Pfeffer einmal auf jeder Seite grillen, damit er schön braun wird und sich vollständig erwärmt.

e) Erwärmen Sie die Tortillas in der Mikrowelle oder auf einem kühleren Teil des Grills, um sie weicher zu machen.

f) Den Käse auf die Tortillas verteilen und diese mit Zwiebeln, Mais, Avocado, Koriander, Salsa und Limettenspalten belegen.

86. <u>Der einfache vegane Taco</u>

Macht: 1

ZUTATEN:
- 2 Weizen-Tacos
- ½ Tasse schwarze Bohnen
- 1 Avocado, in Scheiben geschnitten
- 2 Kirschtomaten, geviertelt
- 1 Zwiebel, gehackt
- Frische Petersilie
- Limettensaft
- 1 Esslöffel Olive
- Öl
- Salz
- Scharfe Soße nach Wahl

ANWEISUNGEN:
a) Erhitzen Sie den Taco, um ihn gründlich zu erwärmen.
b) Geben Sie alle Zutaten in beliebiger Reihenfolge auf den Taco. Sie können das gesamte Gemüse auch in einer mittelgroßen Pfanne erhitzen.
c) Einfach das Öl erhitzen, Zwiebeln, Bohnen und Kirschtomaten hinzufügen und das Ganze mit etwas Salz bestreuen.
d) Nach einer Minute ständigem Rühren entfernen.
e) Servieren Sie die Tacos, bestreut mit etwas Petersilie, Avocadoscheiben, einem Spritzer Limettensaft und der scharfen Chilisauce zum Dippen.

87. <u>Bohnen und gegrillter Mais-Taco</u>

Macht: 2

ZUTATEN:

- 2 Mais-Tacos
- $\frac{1}{2}$ Tasse schwarze Bohnen
- Gegrillte Maiskolben
- 1 Avocado, in Scheiben geschnitten
- 2 Kirschtomaten, geviertelt
- 1 kleine Zwiebel, gehackt
- Frische Petersilie
- $\frac{1}{4}$ Teelöffel Kreuzkümmel
- Salz
- Frisch gemahlener schwarzer Pfeffer
- 1 Esslöffel Öl zum Grillen

ANWEISUNGEN:

a) Bereiten Sie den Grill vor, stellen Sie ihn auf mittlere bis hohe Hitze und ölen Sie die Roste gründlich ein.

b) Die Maisschalen leicht mit Öl bestreichen und mit Salz und Pfeffer würzen. Den Mais 10–15 Minuten lang grillen und dabei häufig wenden, um sicherzustellen, dass er zart und stellenweise verkohlt ist.

c) Sobald der Mais abgekühlt ist, schneiden Sie die Körner von den Maiskolben und geben Sie sie in eine mittelgroße Schüssel.

d) Mit schwarzen Bohnen, geschnittener Avocado, Kirschtomaten, gehackten Zwiebeln, frischer Petersilie vermischen und mit Salz, schwarzem Pfeffer und Kreuzkümmel würzen. Für eine würzige Füllung etwas frische Limette auspressen.

e) Auf den Taco stapeln und mit einem Dip Ihrer Wahl genießen.

88. <u>Taco mit schwarzen Bohnen und Reissalat</u>

Macht: 4

ZUTATEN:
- Taco-Schalen
- 3 Limette, Schale und Saft
- 1 Tasse Kirschtomaten, jeweils in 4 Stücke geschnitten
- $\frac{1}{4}$ Tasse Rotweinessig
- $\frac{1}{4}$ Tasse rote Zwiebel, kleine Würfel
- $\frac{1}{4}$ Tasse Mischung aus Koriander, Basilikum und Frühlingszwiebeln, alles in Chiffonade
- 1 Teelöffel Knoblauch, gehackt
- 1 Dose Mais, abgetropft
- 1 grüne Chilischote, klein gewürfelt
- 1 rote, orange oder gelbe Paprika
- 1 Dose schwarze Bohnen, abgetropft
- 1 $\frac{1}{2}$ Tasse weißer Reis, gekocht und warm gehalten
- Salz und Pfeffer zum Würzen.

ANWEISUNGEN:
a) Die Kirschtomaten vierteln und mit gewürfelten roten Zwiebeln, Rotweinessig, Knoblauch und Salz 30 Minuten marinieren.

b) Paprika, Kräuter und Limetten sammeln und vorbereiten. Alles zusammen mit den abgetropften schwarzen Bohnen und dem Mais vermischen und kräftig mit Salz und Pfeffer würzen.

c) Die Tomatenmischung zur Bohnenmischung hinzufügen. Dann den warmen Reis unterheben. Abschmecken und bei Bedarf Salz hinzufügen.

d) In Taco-Schalen servieren.

89. Zähe Walnuss-Tacos

Macht: 4

ZUTATEN:
TACO-FLEISCH
- 1 Tasse rohe Walnüsse
- 1 Esslöffel Hefeflocken
- 1 Esslöffel Tamari
- $\frac{1}{2}$ Teelöffel gemahlener Kreuzkümmel
- $\frac{1}{4}$ Teelöffel Chipotle-Pfefferpulver
- 1 Teelöffel Chili

FÜLLUNG
- 1 Hass-Avocado
- 1 Roma-Tomate, fein gewürfelt
- 6 Esslöffel geräucherter Cashewkäse-Dip
- 4 große Salatblätter

ANWEISUNGEN:
TACO-FLEISCH
a) Walnüsse, Nährhefe, Tamari, Chilipulver, Kreuzkümmel und Chipotle-Chilipulver in eine Küchenmaschine geben und pürieren, bis die Mischung groben Krümeln ähnelt.

FÜLLUNG
b) Für den Belag die Avocado in eine kleine Schüssel geben und mit einer Gabel glatt rühren. Tomaten unterrühren.

c) Um jeden Taco zusammenzustellen, legen Sie ein Salatblatt mit der Rippenseite nach oben auf ein Schneidebrett. Geben Sie $\frac{1}{4}$ Tasse Walnuss-Taco-Fleisch in die Mitte des Blechs.

d) Mit $1\frac{1}{2}$ Esslöffel Cashew-Käse-Dip und einem Viertel der Avocado-Mischung belegen.

90. Seitan-Tacos

Ergibt: 4 Tacos

ZUTATEN:
- 2 Esslöffel Olivenöl
- 12 Unzen Seitan
- 2 Esslöffel Sojasauce
- 11/2 Teelöffel Chilipulver
- 1/4 Teelöffel gemahlener Kreuzkümmel
- 1/4 Teelöffel Knoblauchpulver
- 12 (6 Zoll) weiche Maistortillas
- 1 reife Hass-Avocado
- Zerkleinerter Römersalat
- 1 Tasse Tomatensalsa

ANWEISUNGEN:
a) In einer großen Pfanne das Öl bei mittlerer Hitze erhitzen. Fügen Sie den Seitan hinzu und kochen Sie ihn etwa 10 Minuten lang, bis er braun ist. Mit Sojasauce, Chilipulver, Kreuzkümmel und Knoblauchpulver bestreuen und umrühren. Vom Herd nehmen.

b) Den Ofen auf 225°F vorheizen. Erhitzen Sie die Tortillas in einer mittelgroßen Pfanne bei mittlerer Hitze und stapeln Sie sie auf einem hitzebeständigen Teller. Mit Folie abdecken und in den Ofen stellen, damit sie weich und warm bleiben.

c) Die Avocado entkernen, schälen und in 1/4-Zoll-Scheiben schneiden.

d) Ordnen Sie die Taco-Füllung, die Avocado und den Salat auf einer Platte an und servieren Sie sie zusammen mit den erwärmten Tortillas, der Salsa und eventuellen weiteren Belägen.

91. Tolle Tofu-Tacos

Ergibt: 6 Portionen

ZUTATEN:

- 1 Pfund fester Tofu; in $\frac{1}{2}$ Zoll große Würfel schneiden
- 2 Esslöffel rotes Chilipulver
- $\frac{1}{4}$ Tasse vegetarische Worcestershire-Sauce
- Kochspray
- $\frac{1}{2}$ rote Zwiebel; gehackt
- $\frac{1}{4}$ Tasse gehackter Koriander
- 1 Tasse geriebener Rotkohl
- 1 Dose vegetarisch gekühlte schwarze Bohnen
- 12 Mehl-Tortillas
- Salsa

ANWEISUNGEN:

a) In einer großen Schüssel Tofu vorsichtig mit Chilipulver und Worcestershire-Sauce vermengen. Mindestens eine Stunde stehen lassen. Heizen Sie den Ofen auf 400 F vor. Besprühen Sie ein Backblech leicht mit Kochspray. Den Tofu gleichmäßig darauf verteilen.

b) Den Tofu leicht besprühen und etwa 20 Minuten backen, bis der Tofu gebräunt und leicht knusprig ist. Aus dem Ofen nehmen und etwas abkühlen lassen. In einer mittelgroßen Schüssel Zwiebeln, Koriander und Kohl vermischen.

c) Verteilen Sie die Tortillas so auf 2 bis 3 Backblechen, dass sie sich kaum überlappen.

d) Bestreichen Sie jeweils die Mitte mit etwa $1\frac{1}{2}$ Esslöffeln Bohnen und geben Sie sie für etwa 10 Minuten in den Ofen, bis die Tortillas anfangen zu bräunen und die Bohnen heiß sind.

e) Geben Sie gleiche Mengen Tofu in die Mitte jeder Tortilla.

f) Mit der Zwiebel-Kohl-Koriander-Mischung belegen, halbieren und auf einer Servierplatte anrichten. Nach Belieben mit Salsa servieren.

92. Rajas con Crema Tacos

ZUTATEN:
FÜLLUNG:
- 5 Poblano-Paprikaschoten, geröstet, geschält, entkernt, in Streifen geschnitten
- ¼ Wasser
- 1 Zwiebel, weiß, groß, in dünne Scheiben geschnitten
- 2 Knoblauchzehen, gehackt
- ½ Tasse Gemüsebrühe oder Brühe

CREME:
- ½ Tasse Mandeln, roh
- 1 Knoblauchzehe
- ¾ Tasse Wasser
- ¼ Tasse Mandelmilch, ungesüßt oder Pflanzenöl
- 1 Esslöffel frischer Zitronensaft

ANWEISUNGEN:
a) Eine große Bratpfanne auf mittlere Hitze erhitzen, Wasser hinzufügen. Die Zwiebel dazugeben und 2-3 Minuten anschwitzen, bis sie weich und durchscheinend ist.

b) Knoblauch und $\frac{1}{2}$ Tasse Gemüsebrühe hinzufügen, abdecken und dämpfen lassen.

c) Die Poblano-Paprika hinzufügen und noch 1 Minute kochen lassen. Mit Salz und Pfeffer würzen. Vom Herd nehmen und etwas abkühlen lassen.

d) Mandeln, Knoblauch, Wasser, Mandelmilch und Zitronensaft in den Mixer geben und glatt rühren. Mit Salz und Pfeffer würzen.

e) Die Mandelcreme über die abgekühlte Füllung gießen und gut vermischen.

93. Süßkartoffel- und Karotten-Tinga-Tacos

ZUTATEN:

- ¼ Tasse Wasser
- 1 Tasse dünn geschnittene weiße Zwiebel
- 3 Knoblauchzehen, gehackt
- 2 ½ Tassen geriebene Süßkartoffel
- 1 Tasse geriebene Karotte
- 1 Dose (14 Unzen) gewürfelte Tomaten
- 1 Teelöffel mexikanischer Oregano
- 2 Chipotle-Paprika in Adobo
- ½ Tasse Gemüsebrühe
- 1 Avocado, in Scheiben geschnitten
- 8 Tortillas

ANWEISUNGEN:

a) In einer großen Bratpfanne bei mittlerer Hitze Wasser und Zwiebeln hinzufügen und 3–4 Minuten kochen, bis die Zwiebeln glasig und weich sind. Fügen Sie den Knoblauch hinzu und kochen Sie unter Rühren 1 Minute lang weiter.

b) Süßkartoffel und Karotte in die Pfanne geben und unter häufigem Rühren 5 Minuten kochen lassen.

SOSSE:

c) Gewürfelte Tomaten, Gemüsebrühe, Oregano und Chipotle-Paprika in den Mixer geben und glatt rühren.

d) Chipotle-Tomatensauce in die Pfanne geben und unter gelegentlichem Rühren 10–12 Minuten kochen lassen, bis die Süßkartoffeln und die Karotte gar sind. Bei Bedarf noch mehr Gemüsebrühe in die Pfanne geben.

e) Auf warmen Tortillas servieren und mit Avocadoscheiben belegen.

94. <u>Kartoffel-Chorizo-Tacos</u>

Ergibt: 4 Portionen

ZUTATEN:
- 1 Esslöffel Pflanzenöl, optional
- 1 Tasse Zwiebel, weiß, gehackt
- 3 Tassen Kartoffeln, geschält, gewürfelt
- 1 Tasse vegane Chorizo, gekocht
- 12 Tortillas
- 1 Tasse Ihre Lieblingssalsa

ANWEISUNGEN:
a) 1 Esslöffel Öl in einer großen Bratpfanne bei mittlerer bis niedriger Hitze erhitzen. Zwiebeln hinzufügen und ca. 10 Minuten kochen, bis sie weich und durchscheinend sind.

b) Während die Zwiebeln kochen, geben Sie Ihre geschnittenen Kartoffeln in einen kleinen Topf mit Salzwasser. Bringen Sie das Wasser bei starker Hitze zum Kochen. Reduzieren Sie die Hitze auf mittlere Stufe und lassen Sie die Kartoffeln 5 Minuten kochen.

c) Die Kartoffeln abgießen und mit der Zwiebel in die Pfanne geben. Erhöhen Sie die Hitze auf mittelhoch. Kartoffeln und Zwiebeln 5 Minuten kochen oder bis die Kartoffeln anfangen zu bräunen. Bei Bedarf mehr Öl hinzufügen.

d) Gekochte Chorizo in die Pfanne geben und gut vermischen. Noch eine Minute kochen lassen.

e) Mit Salz und Pfeffer würzen.

f) Mit warmen Tortillas und der Salsa Ihrer Wahl servieren.

95. Sommerliche Calabacitas-Tacos

Ergibt: 4 Portionen

ZUTATEN:

- $\frac{1}{2}$ Tasse Gemüsebrühe
- 1 Tasse Zwiebel, weiß, fein gewürfelt
- 3 Knoblauchzehen, gehackt
- $\frac{1}{4}$ Tasse Gemüsebrühe oder Wasser
- 2 Zucchini, groß, in Würfel geschnitten
- 2 Tassen Tomaten, gewürfelt
- 10 Tortillas
- 1 Avocado, in Scheiben geschnitten
- 1 Tasse Lieblingssalsa

ANWEISUNGEN:

a) In einem großen Topf mit starkem Boden auf mittlere Hitze stellen; Die Zwiebel in $\frac{1}{4}$ Tasse Gemüsebrühe 2 bis 3 Minuten anschwitzen, bis die Zwiebel glasig ist.

b) Den Knoblauch dazugeben und mit der restlichen $\frac{1}{4}$ Tasse Gemüsebrühe aufgießen, abdecken und dünsten lassen.

c) Öffnen Sie den Deckel, fügen Sie die Zucchini hinzu und kochen Sie sie 3-4 Minuten lang, bis sie weich wird.

d) Tomaten hinzufügen und weitere 5 Minuten kochen, oder bis das gesamte Gemüse weich ist.

e) Abschmecken und auf warmen Tortillas mit Avocadoscheiben und Salsa servieren.

96. Würzige Zucchini- und Schwarzbohnen-Tacos

Ergibt: 4 Portionen

ZUTATEN:

- 1 Esslöffel Pflanzenöl, optional
- ½ weiße Zwiebel, in dünne Scheiben geschnitten
- 3 Knoblauchzehen, gehackt
- 2 mexikanische Zucchini, groß, gewürfelt
- 1 Dose (14,5 Unzen) schwarze Bohnen, abgetropft

CHILE DE ARBOL-SAUCE:

- 2 - 4 Chile de Arbol, getrocknet
- 1 Tasse Mandeln, roh
- ½ Zwiebel, weiß, groß
- 3 Zehen Knoblauch, ungeschält
- 1 ½ Tassen Gemüsebrühe, warm

ANWEISUNGEN:

a) Pflanzenöl in einer großen Bratpfanne auf mittlere Hitze erhitzen. Zwiebeln hinzufügen und 2-3 Minuten anschwitzen, bis die Zwiebeln weich und glasig sind.

b) Die Knoblauchzehen hinzufügen und 1 Minute kochen lassen.

c) Fügen Sie die Zucchini hinzu und kochen Sie sie etwa 3-4 Minuten lang, bis sie weich sind. Die schwarzen Bohnen hinzufügen und gut vermischen. Noch 1 Minute kochen lassen. Mit Salz und Pfeffer würzen.

d) Soße zubereiten: Eine Grillplatte oder eine gusseiserne Pfanne auf mittlere bis hohe Hitze erhitzen. Rösten Sie die Chilis auf jeder Seite etwa 30 Sekunden lang, bis sie leicht geröstet sind. Aus der Pfanne nehmen und beiseite stellen.

e) Die Mandeln in die Pfanne geben und ca. 2 Minuten goldbraun rösten. Aus der Pfanne nehmen und beiseite stellen.

f) Die Zwiebel und den Knoblauch etwa 4 Minuten auf jeder Seite rösten, bis sie leicht verkohlt sind.

g) Mandeln, Zwiebeln, Knoblauch und Chilis in den Mixer geben. Die warme Gemüsebrühe hinzufügen. Zu einer glatten Masse verarbeiten. Mit Salz und Pfeffer würzen. Die Soße sollte dick und cremig sein.

97. <u>Spargel-Tacos</u>

Ergibt: 1 Portion

ZUTATEN:
- 4 gelbe Maistortillas
- 16 Stück Spargel, gegrillt
- $\frac{1}{4}$ Tasse Monterey-Jack-Käse, gerieben
- $\frac{1}{4}$ Tasse weißer Cheddar-Käse, gerieben
- Salz und Pfeffer
- Olivenöl zum Bestreichen

ANWEISUNGEN:
a) Grill vorbereiten.

b) Für jeden Taco $\frac{1}{4}$ des Käses und 4 Spargelstücke auf jeder Tortilla verteilen, mit Salz und Pfeffer abschmecken.

c) Zur Hälfte falten. Die Außenseite leicht mit Olivenöl bestreichen.

d) Auf jeder Seite 3 Minuten grillen oder bis die Tortilla knusprig ist und der Käse geschmolzen ist.

98. Sojasprossen-Taco mit Rindfleisch

Ergibt: 8 Portionen

ZUTATEN:
- 12 Unzen Fuji-Bohnensprossen
- 16 Taco-Schalen
- $\frac{1}{4}$ Salat, zerkleinert
- $\frac{1}{2}$ Packung Taco-Gewürzmischung (1,6 oz)
- 2 Esslöffel Pflanzenöl
- 1 Tomate, gewürfelt
- 1 Pfund Rinderhackfleisch, gekocht/abgetropft

ANWEISUNGEN:
a) Fuji-Bohnensprossen in Öl bei Hitze 30 Sekunden lang anbraten.

b) Fügen Sie das gemäß den Anweisungen für die Taco-Gewürzmischung zubereitete Rindfleisch hinzu.

c) Vom Herd nehmen, Taco-Schalen mit der gewünschten Menge der Mischung füllen, Tomaten, Salat und Käse hinzufügen.

99. Guacamole-Bohnen-Tacos

Ergibt: 1 Portion

ZUTATEN:

- 1 Packung Taco-Schalen
- 15 Unzen gekühlte Bohnen
- Guacamole
- Gehackte Zwiebeln
- Gehackte Tomaten
- Geriebener Cheddar-Käse

ANWEISUNGEN:

a) Taco-Schalen im auf 250 Grad vorgeheizten Ofen 5 Minuten lang erhitzen, bis sie vollständig erhitzt sind.

b) In einem kleinen Topf die gekühlten Bohnen bei schwacher Hitze unter häufigem Rühren kochen, bis sie vollständig erhitzt sind.

c) Für jeden Taco je 2 gerundete Esslöffel Bohnen und Guacamole in eine Taco-Schale geben und mit Zwiebeln, Tomaten und Käse bestreuen.

d) Eventuell noch etwas gehackten Salat hinzufügen.

100. Linsen-Tacos

Ergibt: 4 Portionen

ZUTATEN:

- 1 Tasse Zwiebeln; gehackt
- ½ Tasse Sellerie; gehackt
- 1 Knoblauchzehe; gehackt
- 1 Teelöffel Olivenöl
- 1 Tasse rote Linsen
- 1 Esslöffel Chilipulver
- 2 Teelöffel gemahlener Kreuzkümmel
- 1 Teelöffel getrockneter Oregano
- 2 Tassen Hühnerbrühe; entfettet
- 2 Esslöffel Rosinen
- 1 Tasse milde oder scharfe Salsa
- 8 Maistortillas
- Zerkleinerter Salat
- Gehackte Tomaten

ANWEISUNGEN:

a) In einer großen Bratpfanne bei mittlerer Hitze die Zwiebeln, den Sellerie und den Knoblauch im Öl 5 Minuten anbraten. Linsen, Chilipulver, Kreuzkümmel und Oregano unterrühren. 1 Minute kochen lassen. Brühe und Rosinen hinzufügen. Abdecken und 20 Minuten kochen lassen, oder bis die Linsen weich sind.

b) Nehmen Sie den Deckel ab und kochen Sie unter häufigem Rühren etwa 10 Minuten lang, bis die Linsen eingedickt sind. Salsa unterrühren.

c) Wickeln Sie die Tortillas in ein feuchtes Papiertuch und stellen Sie sie 1 Minute lang oder bis sie weich sind in die Mikrowelle.

d) Die Linsenmischung auf die Tortillas verteilen.

e) Mit Salat und Tomaten belegen.

ABSCHLUSS

Tacos sind eine vielseitige und leckere Mahlzeit, die Menschen jeden Alters genießen können. Mit ihren endlosen Möglichkeiten für Füllungen und Toppings können sie individuell an jeden Geschmack angepasst werden. Von einfachen Rindfleisch-Käse-Tacos bis hin zu aufwändigeren vegetarischen oder Meeresfrüchte-Optionen gibt es für jeden das passende Taco-Rezept. Wenn Sie also das nächste Mal Lust auf eine schnelle und sättigende Mahlzeit haben, denken Sie über die Zubereitung köstlicher Tacos nach und lassen Sie Ihren Gaumen verwöhnen.